Stanley Keleman

LA EXPERIENCIA SOMÁTICA

Stanley Keleman

LA EXPERIENCIA SOMÁTICA

Formación de un yo personal

Desclée

Título de la edición original:
Embodying Experience
© 1987, Stanley Keleman
Center Press, Berkeley
Ilustraciones: Vincent Pérez, Artista del Colegio de Artes y
Artesanías de Oakland, California

Traducido: *Carmen Gloria Loredo*
Revisión técnica: *Jaime Guillén de Enríquez*

© EDITORIAL DESCLÉE DE BROUWER, S.A., 1997
Henao, 6 48009 BILBAO

Printed in Spain
ISBN: 84-330-1208-8
Depósito Legal: BI-654-97
Fotocomposición: Zeta, S.L.
Impresión: Ecolograf, S.A.

A mis hijas, Leah y Katharine

Agradecimientos

A Gene Hendrix, Ph. D, que organizó el material,
editó este libro y cuya ayuda fue inestimable.
A Vincent Peres, artista e ilustrador.

El cuerpo se forma en anticipación
al fin que sirve, asume una forma;
una forma para trabajar, para luchar, para sentir,
así como una forma para amar.

Victor E. Von Gebsatel
*en Monatschrift fur Psychiatrie und
Neurologie*
1932, band 82, p.113

Toda mente no patológica busca en alguna medida
ordenar y unificar experiencia. Esta es la expresión
a nivel mental del proceso autorregulador, coordina-
dor y formativo del organismo. El genio de la especie humana, lo universal en lo individual, expresado
en todas las grandes religiones, en el arte y en la
ciencia, es un proceso que rebasa las característas
de la experiencia individual y sigue el camino
más directo hacia una coordinación unificada. Lo
universal es esa parte de la verdad unificada que
está en el presente.

L.L. White
The Universe of experience

Índice

Prólogo a la edición española, por Stanley Keleman

Nuestro cuerpo es biología, un proceso que toma muchas formas a lo largo de su vida. Puesto que estamos en una permanente reformación, recreamos continuamente nuestro psiquismo y nuestro entorno. Esto nos hace libres para experimentar diferentes formas y estados somáticos como parte de nuestro existir corporal. Nuestros procesos somático-emocionales son una forma de génesis personal y un aspecto del proceso universal de la evolución.

Para cambiar la propia situación en la vida es necesario ser capaz de cambiar el propio funcionamiento. Esto no es simplemente cambiar de mentalidad sino cambiar las maneras de emplearse así mismo. Cambiar su mente es cambiar su cuerpo. Cambiar su forma de pensar es cambiar su forma de ser, funcionar de forma diferente. El cuerpo es más plástico, móvil y capaz de reorganización de lo que pensamos. Una persona puede participar en estos cambios no sólo a nivel bioquímico sino en cuanto a la forma y motilidad del cuerpo, esto es, en el nivel neuromuscular. El cuerpo habla el lenguaje del cambio y puede aprender a reorganizarse, tanto a efectos de bienestar como de supervivencia.

La *Experiencia somática* es un libro compañero de *Anatomía Emocional*. La práctica corporal de los cinco pasos, la metodología descrita en este libro, nos muestra cómo una persona puede transformar una respuesta emocional en comportamiento. Este enfoque somático es un resultado de mi experiencia clínica de más de treinta y cinco años y es la forma en que continúo trabajando individualmente y en grupos. En mi opinión y propia experiencia, aprender a vivir de nuestra propia experiencia somática nos proporciona una fuente contínua de profundidad y significado. Estoy muy complacido de que el público de habla hispana tenga ahora acceso a mi obra.

Stanley Keleman
Berkeley. California
Noviembre 1996

Presentación,
por Jaime Guillén

Keleman es un hito en la ruta de la *Psico-somatoterapia*, el conjunto de psicotera-pias de base analítica que tienen al cuer-po como referente y campo de interven-ción para la resolución de los conflictos personales. A partir de las grandes con-cepciones de Freud, Reich, Von Dürck-heim, etc., pioneros y creadores dentro de la psicoterapia corporal como Lowen, Pierrakos, Brennan y el mismo Keleman, jalonan un trayecto específico dentro de esa ruta. Un trayecto configurado por los aspectos somático y biopsicológico, ana-lítico, energético y evolucionario-espiri-tual. Más propiamente, el trabajo de Keleman se enmarca dentro de una psi-cología formativa que se ocupa de los cambios de forma y estado somáticos tanto internos como externos, con sus consiguientes procesos biológicos, emo-cionales y psicológicos. El autor define su trabajo como una herramienta terapé-utica y de autoeducación para participar en la formación de una vida personaliza-da a partir del propio cuerpo.

El *Proceso Somático* o experiencia somáti-ca, la técnica terapéutica de Stanley Keleman, fue durante años para muchos de nosotros, psicoterapeutas lowenianos, "una forma refinada de Bioenergética".

Las tensiones somáticas y emocionales encontraban el camino de su liberación de una manera articulada y fluida. El masaje, de carácter reichiano o bioener-gético, tenía una precisión extraordinaria para ayudar a producir la liberación o el cambio requerido. El proceso de desor-ganizar las formas neuróticas inscritas en el cuerpo tenía una pronta respuesta creativa al intervenir secuencialmente el propio centro energético en la creación de una nueva forma de ver las cosas y organizarse ante la vida. Así era y así sigue siendo aunque ahora el autor, otro-ra discípulo y colega de Lowen, prefiera, fundamentalmente, no referir su méto-do al campo del Análisis Bionergético sino al más general de la Biopsicología.

Cualquier análisis de lo vivo, en efecto, parte en primer lugar de un fenómeno básico experimentable: todo lo vivo pulsa rítmicamente en movimientos de contracción y expansión. Esa pulsación se altera en ritmo e intensidad ante expe-riencias de dolor o placer. A nivel micros-cópico, se observa cómo una simple ameba se expande ante el placer de ali-mentarse o se contrae ante el dolor o la amenaza de dolor. Todo el organismo y sus procesos cumplen esa ley básica:

ectodermo, endodermo y mesodermo; líquidos, huesos, cavidades y conductos; y también sensaciones, emociones y pensamientos, se organizan de acuerdo a experiencias de placer y dolor.

Es importante señalar, a efectos metodológicos, que Keleman, a diferencia de John Pierrakos, no entra en la consideración de la energía subyacente a la pulsación o su manifestación en el aura sino en el fenómeno experimentable de la actividad pulsátil, su intensidad vibratoria y el flujo o corriente que genera. Lo relevante, en general, no es tanto el qué sino el CÓMO. Con el *cómo* terapéutico, reproducimos con el cuerpo la forma cómo nos contrajimos en su día para evitar el dolor. Incluso nos permitimos intensificar y exagerar la propia contracción. De este modo podemos captar la atención por completo, dándonos cuenta de ella con todo el organismo y sintiendo sus implicaciones físicas y emocionales. La propia experiencia somática, por una ley de autorregulación organísmica, nos empuja a desorganizar tan inútil defensa y a tan alto precio para el organismo. Se crea así un espacio interior para una forma somática distinta, ahora más adulta, consciente y creativa.

Cuando las experiencias negativas o distorsionantes son especialmente dolorosas, ocurren en etapas cruciales del desarrollo psicoafectivo, son provocadas por figuras influyentes como los padres u ocurren de una manera prolongada, es más fácil que se produzcan alteraciones crónicas en la pauta pulsátil. Estas pautas alteradas constituyen, a su vez, la experiencia básica del sujeto para organizarse ante amenazas similares en la vida adulta.

Otro aspecto fundamental en la obra de Keleman se centra en la idea de forma. Cuando el organismo actualiza una de sus potencialidades se produce un cambio de forma debido a lo que Aristóteles llamó *causa formal*... Una bellota se puede transformar en un árbol. Toda sustancia tiene una causa formal. También las ideas básicas o imágenes previas. Una idea distorsionada de algo o alguien, o la propia historia personal, pueden prefigurar una organización o forma destructiva para el propio organismo, los demás o la vida.

Cuando, mediante la técnica del proceso somático o de los cinco pasos, desorganizamos la expresión corporal de esos contenidos intrapsíquicos, queda abierta a la persona.

Un espacio para incubar la verdad somática, procedente del ser personal, allí donde residen atributos esenciales como la inteligencia, la emoción o la voluntad y sus objetos formales -el roble en que puede convertirse la bellota: la sabiduría, el amor, la creatividad o el coraje.

Somatizar la experiencia significa así trascender la propia historia personal, modificando las grabaciones somáticas disfuncionales ya que tener forma es estar vivo. Pero permanecer fijado en una forma es estancarse y nuestra realidad no es sólamente quiénes y cómo somos ahora sino quiénes y cómo podemos llegar a ser.

Jaime Guillén de Enríquez

Madrid, Enero de 1997
Vicepresidente de la Asociación
Española de Psicosomatoterapia.

Introducción

LA PÉRDIDA de realidad somática es un dilema corriente. Alentados a «ser uno mismo», «crecer» o «ser auténticos», muchos de nosotros no hemos tenido una experiencia sentida de lo que significan estas frases. Vivimos a través de ideas preconcebidas, intentando trasladar contenidos mentales al resto de nuestra personalidad o bien intentamos avivar o intensificar nuestra experiencia vital con sustancias químicas, compromisos sociales, retirándonos a la meditación o cultivando la forma física. En tales casos puede aumentar el autoconocimiento sin que necesariamente lo haga el entendimiento de la propia realidad somática.

Cuando sufrimos emocionalmente, tendemos a buscar los motivos o una explicación en nuestra conducta o en la de los demás. Normalmente, analizamos los conflictos en términos de causalidad. ¿Quién empezó la discusión? ¿Cuáles fueron las circunstancias, qué tema la originó? Sin embargo, también cabría preguntarse ¿Cómo «me usé» a mí mismo para entrar en la discusión? ¿Era mi voz exigente o mi postura agresiva? ¿Me tensé en plan beligerante o me contraje en un gesto de rechazo? Las respuestas a estas cuestiones muestran la naturaleza somática y emocional de nuestra conducta y revelan la íntima conexión existente entre las palabras, las emociones, los pensamientos y las pautas musculares.

Por lo general, nuestros problemas continúan porque no sabemos cómo se organizaron o cómo podemos desmontarlos. No sabemos cómo desorganizar y reformar nuestros lazos internos de orden psico-emocional tanto en nosotros mismos como en relación a otras personas. Puede que estemos llenos de excitación y sentimiento y ser incapaces de actuar sobre ello o bien actuar sin poder evitarlo. Puede que estemos tan enfadados que no podamos dejar de estarlo. O que tengamos ideas y emociones que no podamos unir o separar. Podemos ser incapaces de formar una experiencia emocional que nos traiga satisfacción. Esta falta de habilidad para «usarnos» apropiadamente lleva con frecuencia a situaciones de angustia o enfermedad.

Cada uno de nosotros tiene la opción de continuar identificándose con sus viejos modelos o bien intentar cambiarlos, intentar reorganizar. Podemos vivir intensamente madurar emocionalmente o vivir una vida que nunca cambie. Si sentimos las conexiones que parten del interior de nuestros cuerpos al mundo exterior y desde la superficie hasta nuestras profundidades, podremos volver a sentir los profundos matices emocionales y físicos de nuestra vida ordinaria.

La percepción psicológica interna es sin duda necesaria pero no suficiente para crear el cambio. La psicología actual acentúa con frecuencia la importancia del *insight* buscando descubrir al hombre instintivo que hay bajo la capa de lo social o bien trabajando para superar el pasado y mejorar. Pero cuando no logramos comprender la historia de nuestra organización somática continuamos repitiéndola. Nuestra historia emocional, en efecto, es una organización somática que requiere desestructuración y reorganización. Por sí misma, la desorganización puede llevar a los extremos del dominio de lo instintivo o a la imitación social, y la reorganización resulta insuficiente, de otra parte, si se basa solamente en lo somático o en la idealización psicológica de alguna instancia de autoridad.

Este libro trata de la vida del cuerpo, del papel de las emociones y de la búsqueda de significado del hombre. Sugiere cómo desmontar conductas antiguas, reunir los elementos de experiencia para crear una conducta nueva y cómo usarse a sí mismo para influir sobre el destino personal. Explica los pasos que indican CÓMO organizarse a sí mismo y a la propia vida, lo que esto implica, y el lenguaje o diálogo interno que arroja luz al proceso individual.

El proceso de organizar y formar se puede apreciar en la Naturaleza. La organización reune los acontecimientos para formar; al mismo tiempo, hay un impulso emergente por crear forma en los seres animados. Mantenemos una forma que nos sirvió en el pasado, a pesar de lo desagradable que pueda resultar en la actualidad o bien elegimos formar lo que brota ex novo desde dentro.

Un libro complementario, **ANATOMÍA EMOCIONAL**, sirve de apoyo anatómico y emocional a éste y en él se descubre la impronta de nuestra realidad somática y su significado en el contexto biológico, psicológico y sociológico.

LA EXPERIENCIA SOMÁTICA descubre la relación entre el proceso y la forma, la forma y el sentimiento, el sentimiento y la función. El proceso nos anima a la diferenciación. La organización de la experiencia relaciona las tres capas de la existencia –la animal, la social y la personal. El tema de este libro es cómo trabajar con esos tres niveles. Estos dos libros juntos establecen el fundamento para una moderna educación somático-emocional.

Naturaleza
del Proceso Organizador

1

Toda actividad implica movimiento y cada movimiento, sea sencillo o sutil, contiene un proceso organizador. Este proceso organizador está basado en una ley biológica: toda contracción de los músculos es seguida de un estiramiento. La acción muscular tiene una función alternante. El músculo no está en un estado de espasmo perpetuo o de relajación constante. Se estira y contrae; se expande y encoge. Este ritmo de expansión puede ser pequeño o abarcarlo todo, una micro o macromarea de diferentes estados del músculo que llamamos tono muscular. En el «continuum» del movimiento muscular a veces hay más tensión, a veces menos. La marea cambia pero nunca para: a veces más tensión, a veces menos. Toda actividad, incluso la inhibición, lleva consigo este proceso organizador que hay en el movimiento. Para aprender a hacer algo de un modo distinto es esencial comprender el proceso organizador, dado que el tono muscular puede ser alterado por los centros neurales de la unión sináptica de la médula espinal o a través de uniones sinápticas del cerebro.

Todas las sensaciones, todas la emociones, todos los pensamientos son en realidad modelos organizados de movimiento. A base de alterar los ritmos pulsatorios básicos se manipulan las emociones o desarrollan condiciones de estrés físico.

Una diversidad de metodologías psicofísicas reconoce la existencia de este proceso organizador y lo proclama en sus técnicas: masaje y presión profunda, ejercicios físicos activos como correr o nadar; la danza, la meditación, el enfoque bioenergético para la liberación de la tensión muscular y las técnicas reeducativas de F.M Alexander y Edmund Jacobson

EL PRINCIPIO ORGANIZADOR

El impulso organizador es una propiedad innata fundamental que se halla en el centro de todo lo vivo. Todo lo vivo busca establecer y mantener un orden. Podemos verlo tanto en el código genético como en el orden natural. Orden y organización se correlacionan con un impulso o disposición interior que organiza la conducta.

La vida establece un orden a nivel microcósmico celular y a nivel macrocósmico individual y social. La creación del orden es inherente a cada célula. De esta crea-

Forma

Más Forma

Más Forma

Menos Forma

Menos
Forma

EL PROCESO ORGANIZADOR

ción surgen el sentido y el significado. Un conjunto de células se relaciona con otro conjunto; una parte envía mensajes de su actividad para ser integrada con otros conjuntos de actividad. Un diálogo así se elabora por el flujo de señales provenientes de los sentidos, los sentimientos y la acción consiguiente.

Nuestra actividad más profunda tiene que ver con cómo nos organizamos. La individualidad no es una idea ni algo que nos dicen respecto a quiénes somos ni un artefacto social. Es más bien la aceptación de cómo hacemos las cosas, un sentido de orden que se establece por nuestro propio proceso vital. Este proceso natural puede ser la base de nuestras vidas personales y darnos un sentido inmediato, vital y consciente de quiénes somos.

El orden no proviene de un imperativo. «Poner orden». Es más bien la forma en que una persona hace algo, acumula experiencia, la digiere y actúa sobre ella. Orden es una profunda sensación inconsciente que se siente pero no está del todo articulada. Cuando algo no está en orden o se halla desorganizado, uno lo siente y busca la manera de poner orden. Una vez sentidos, el orden y la organización se convierten en el fundamento de la identidad personal y no se destruyen fácilmente. Cuando se interrumpe el orden natural de una persona se despierta toda una serie de reacciones: irritación, tristeza, desamparo, enfado.

Las reglas y los ritmos de la naturaleza han organizado siempre los asuntos humanos. La experiencia del impulso organizador proporciona luz y conocimiento en la diferencia que existe entre vivir de una manera pasiva o volitiva, entre la fatalidad y la elección.

EL ACORDEÓN

La imagen de un acordeón ilustra el proceso organizador: ambos funcionan acumulando y soltando tensión y presión. Estos diferentes estados de tensión y presión forman nuestro lenguaje. Por ejemplo, el corazón late a un ritmo que varía con subidas o bajadas de presión. Esta expansión y contracción es la sístole y el diástole. El corazón va más rápido cuando tenemos miedo y más lento durante el sueño.

Las acciones espontáneas y naturales como el latir del corazón o la succión de un bebé al ser amamantado son modelos de movimientos organizados. «No te muevas», «sé bueno», «cállate» son instrucciones que nosotros organizamos conscientemente en pautas somáticas concretas.

Muchas de estas organizaciones aprendidas nutren la madurez; sin embargo, otras causan conflicto o daño. «Quiero acercarme para establecer contacto contigo pero me freno», es un ejemplo.

Este principio –las tensiones corporales resultan de interferencias en la contracción y relajación rítmicas–, sirve como base a la terapia del proceso somático, cuyo fin es restablecer los patrones de expansión y contracción. Al usar una técnica basada en la imagen de un acordeón pido a mis pacientes que mantengan e intensifiquen un patrón postural y conductual para aflojarlo después progresivamente. Deliberadamente no les pido que se dejen ir al principio, sino que tensen primero y después vayan soltando para restablecer así el flujo normal.

Este proceso de acordeón nos enseña cómo son inhibidas y expresadas las emociones, cómo se convierten en acción los pensamientos, cómo se crea sentido y se forma significado. El principio de acordeón conlleva distintos pasos y un procedimiento específico. Tiene un significado más amplio que el simple tensar y aflojar musculatura. El sentimiento, la imagen, la excitación y la inhibición se hallan, implicadas. El procedimiento para descubrir el proceso organizador de uno mismo se llama la metodología del CÓMO.

APLICACIÓN A LA VIDA DIARIA

Hace varios años desarrollé una dolencia ciática en la parte izquierda que empeoraba progresivamente y se resistía a cualquier tipo de tratamiento. Posteriormente descubrí que al entrar y salir del coche realizaba un movimiento que me hacía colocar todo el peso en una sola pierna. Aguantar mi peso en esta posición me causaba un espasmo muscular que daba como resultado la dolencia ciática. Para vencer el mecanismo tuve que dejar de hacer ese movimiento siempre que entraba o salía del coche. El aprender cómo pararlo, cómo no repetir la misma acción automáticamente, me puso de repente frente a lo que estaba haciendo, sin darme cuenta.

¿Cómo podía manejarme para entrar y salir del coche con más estabilidad? Necesitaría distribuir mi peso de una

EL CONTINUUM PULSÁTIL

Hacia adentro, Lejos del Mundo
Contracción

Hacia el Mundo, Lejos del Interior
Expansión

Hacia y desde el Mundo
Hacia y desde el Interior

manera más equitativa girando las caderas y levantándome sin golpearme la cabeza en el techo del coche. Al tomarme un tiempo para aprender lo que estaba haciendo, interrumpí la acción refleja. Primero visualicé los pies y las piernas haciendo el giro habitual; luego intenté sentirme, y al hacerlo, prestar atención a que mi idea, mi percepción y mi acción estuviesen coordinadas. Deje de usar el coche durante un corto período de tiempo y esperé a que la espasticidad contraída se relajase. Una vez que las contracciones se suavizaron y que ya no sentía el dolor en la cadera, tuve oportunidad de tomar un nuevo modelo a seguir, practicarlo y sentir mi nueva situación muscular. El aprender cómo me utilizaba muscularmente, sensorialmente, ideacionalmente y emocionalmente me proporcionó una visión interior dinámica de cómo un cuerpo se distorsiona en diferentes estados emocionales y qué diferentes pautas tipificadas podrían derivarse.

Todos tenemos complejas pautas organizadas de acción y expresión. La ira, por ejemplo, tiene unos modos naturalmente programados de llorar, gritar o golpear. Usamos modos de actuar para suprimir, esconder o inhibir nuestras reacciones. Ejercitamos la forma de dejar de llorar o trabajamos para controlar nuestros prontos de enojo. Todos nos esforzamos por controlar o esconder conductas socialmente inaceptables y al mismo tiempo nos preocupamos por mejorar las que están «bien vistas». Hacemos esto al intentar obtener una idea o imagen de lo que se requiere de nosotros y luego usar nuestros músculos para llevar a cabo la acción adecuada.

Cuando era niño ¿cuántas veces me dijeron que no llorase? Si estaba a punto de llorar sabía que podía no hacerlo mordiéndome el labio. Así que rememoraba el movimiento de morder el labio y volvía a poner en práctica la acción. Practiqué entonces el movimiento hasta que no tuve necesidad de morderme el labio; podía dejar de llorar apretando la mandíbula. De adulto, controlo mi llanto repitiendo este mecanismo. Cuando me pregunto cómo evito llorar o expresar ternura digo «lo hago, simplemente». Si insisto en preguntarme cómo lo hago explícitamente podría descubrir «contraigo los músculos del pecho» o «me veo a mí mismo alto y fuerte; entonces intento ser alto y sentirme fuerte». Contraigo los músculos del estómago, pongo rígido el cuello, aprieto la mandíbula y si noto que aun así voy a llorar lo repito más intensamente hasta convertirme en un espasmo gigante.

Todos hacemos esto, consciente o inconscientemente, paso por paso. Contraemos músculos y más músculos hasta que dominamos la condición que está queriendo manifestarse. Aunque nos hayamos construido una imagen y unas impresiones de fuerza emocional, es sólo la espasticidad lo que está en la base de esta auto-imagen junto a un modo de pensar «soy fuerte».

Ayudar a la gente a identificar formas típicas de usarse es lo primero que se debe hacer en la terapia del proceso somático. Aprender cómo terminar con esta pauta es el segundo paso. Antes de que pueda cambiarse una pauta es necesario experimentarla. El cerebro puede ser ejercitado para reconocer diferentes modelos de tensión en el «continuum» de la acción.

Por ejemplo, cuando alguien está enfadado puede apretar los puños. Si intenta apretar los puños ligeramente es probable que no tenga una sensación de ira. Pero si aprieta con fuerza reconocerá la sensación de enojo. Si completa la acción

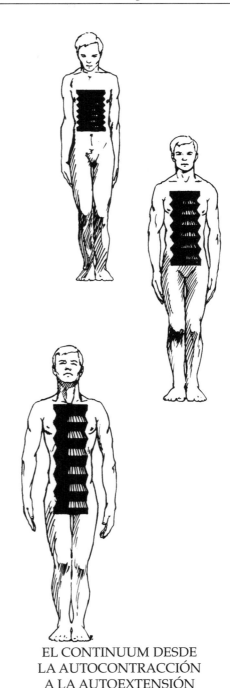

EL CONTINUUM DESDE
LA AUTOCONTRACCIÓN
A LA AUTOEXTENSIÓN

de apretar fuertemente los puños, entonces puede tensar cada vez menos. Aprende cómo se percibe al abrir y cerrar los puños en varias etapas y las practica a través de la intensificación o la disminución de la intensidad. Con el reconocimiento de este hecho aprende a dejar de asociar el apretar los puños como pauta de ira y a sustituirla por una nueva, por ejemplo la verbalización «estoy enfadado» o «no hago esto».

Así pues, existe una secuencia muscular para actividades tales como apretar la boca o morderse los labios: se trata del proceso de incremento o disminución de la contracción muscular, que es el proceso mismo del control emocional y conductual. El camino para dar forma al comportamiento y para crear formas nuevas.

QUÉ ES EL «CÓMO»

El ejercicio del CÓMO le conduce a uno a experimentar cómo llevar a cabo una actividad concreta, cómo se va desde formar una imagen de algo hasta realizarla efectivamente. El procedimiento consiste sencillamente en preguntarse: «¿Cómo estoy haciendo esto y lo otro?» Por ejemplo, «¿cómo estoy leyendo este libro?». Al hacerse esta pregunta se encuentran varias respuestas posibles: «Estoy sentado en una silla»; «mantengo el cuello rígido»; «estoy leyendo con una actitud de expectación o escepticismo»; cuando estoy así contengo la respiración: «me siento perplejo», «no me permitiré entusiasmarme demasiado».

El ejercicio del CÓMO ayuda a conocerse, enseña a desarrollar una consciencia de los tipos de sensación y ritmos motrices-emocionales que el cerebro debe conocer para integrar en una nueva conducta. El ejercicio del CÓMO hace explícita la manera de usarse en cualquier situación. Una vez aprendido el procedimiento básico, se puede utilizar en otras situaciones. Así pueden evocarse recuerdos de acciones pasadas y las contracciones musculares subsiguientes; ver cómo uno está haciendo lo que en realidad preferiría no hacer y nuevas formas de usarse en el futuro.

LOS CINCO PASOS DEL «CÓMO»

El proceso del CÓMO tiene cinco pasos reconocibles, identificados por estas preguntas

Paso Uno: ¿QUÉ ESTOY HACIENDO?

Paso Dos: ¿CÓMO LO ESTOY HACIENDO?

Paso Tres: ¿CÓMO DEJO DE HACERLO?

Paso Cuatro: ¿QUÉ OCURRE CUANDO DEJO DE HACERLO?

Paso Cinco: ¿CÓMO USO LO QUE HE APRENDIDO?

Usar el proceso del CÓMO y el ejercicio del acordeón –intensificando y distendiendo las contracciones musculares– implica varios pasos. Primero hay visiones en forma de imágenes o ideas o bien patrones de sensación arraigados de lo que uno piensa que es la actuación ade-

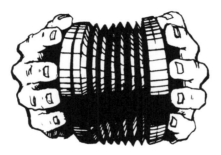

Contracción

Expansión

LA EXPANSIÓN - CONTRACCIÓN DEL ACORDEÓN

PASO
UNO

Superficie
Imagen
Historia
Situación
Estructura

cuada; «me veo fuerte», «me siento fuerte» o a veces también una visión de lo que dicen los demás de uno mismo. A continuación, unas acciones muy concretas conducen estas imágenes a poses sociales. Por ejemplo los músculos del cuello y de la columna se tensan para mostrar orgullo y determinación o el abdomen se encoge para mostrar autocontrol.

Si estos modelos de contracción o estrés llegan a ser dolorosos uno intenta aplacarlos –tomando baños calientes, usando drogas o alcohol, recibiendo masajes para actuar de modo contrarrestante. Mucha gente, por ejemplo, intenta terminar con las tensiones de un orgullo exagerado actuando de una manera humilde. Algunas personas se dan cuenta de lo tensas que están y ocultan sus espasmos musculares espontáneamente. Cuando se dejan, inhiben o relajan modelos de acción que han perdurado y se han hecho automáticos y profundamente enraizados, se experimentan profundos brotes somáticos de sensaciones y sentimientos–, poderosas corrientes de respuesta que no son verbales. A esto se le llama el «ah»-«ah» o percepción interna. Estas respuestas son profundos acontecimientos internos que representan una etapa en el proceso de organización de uno mismo.

Llegados a este punto de intuición se pueden hacer varias elecciones. Se tiene algo que no se tenía antes –percepción interna, sensación, acción, experiencia nueva. Se podría parar aquí creyendo que estas experiencias en sí hacen a uno diferente. Se puede olvidar lo ocurrido o tratar de poner todo en práctica de una vez, lo que implicaría acabar desbordada e inadecuadamente. Se puede quedar en el punto de la percepción esperando más. Se puede negar, rechazar la experiencia o se puede construir una disciplina practicando paso por paso las lecciones aprendidas para empezar a crear una nueva configuración.

El paso final es la propia respuesta que se hace con los cuatro pasos anteriores.

Para practicar la metodología del CÓMO en el Paso Uno haga una visualización o imagen de sí mismo, cómo se piensa o se imagina uno en una situación determinada. En el Paso Dos, descubra la pauta muscular con la cual se organiza esta imagen. Por ejemplo «tenso el cuello para estar orgulloso». En el Paso Tres se desestructura la pauta de contracción muscular, por ejemplo, mantener el cuello rígido. En el Paso Cuatro permanezca con su experiencia y vea como brotan nuevas percepciones interiores, sentimientos y emociones. Y finalmente en el Paso Cinco busque su respuesta a todo esto: ¿Es su tendencia la de practicar un comportamiento nuevo, abandonar la experiencia, o buscar más percepción interior?

El ejercicio del CÓMO por tanto, implica una serie de cuestiones de procedimiento

Paso Uno: ¿CUÁL ES LA IMAGEN QUE TENGO DE MÍ MISMO, EN LA SITUACIÓN PRESENTE?

Paso Dos: ¿CÓMO CREO MUSCULARMENTE ESTA IMAGEN Y LA PERPETÚO?

Paso Tres: ¿CÓMO CONCLUYO CON ESTE MODO DE SENTIRME EN MI CUERPO?

Paso Cuatro: ¿QUÉ ME OCURRE CUANDO LO CONCLUYO?

Paso Cinco: ¿QUÉ RESPUESTA DOY A ESTO?

LAS ETAPAS DEL CÓMO EN ACCIÓN

PASO UNO: IMAGEN DE MI SITUACIÓN ACTUAL

Estoy esperando. Formo una imagen de la situación, concibo una forma. Me digo que esta situación es temporal. Creo una imagen de "dejar pasar el tiempo" o "mantenerme entretenido". Veo los acontecimientos moverse hacia un cierto final esperado.

PASO DOS: CÓMO ME USO

Al intensificar la posición muscular, noto cómo me uso. Las contracciones musculares son el diálogo que forma el mundo de las intenciones. Así que me pregunto cómo mantengo la paciencia, "tomándomelo con calma" o "comiéndome las ganas". Quizás caminando más despacio o dando pasos más cortos o manteniéndome rígido para suprimir la impaciencia. Puede que comprima el pecho para controlar la respiración o que me quede tieso como un palo bloqueando las rodillas, comprimiendo el espacio personal, comprimiendo órganos internos para ser paciente. Estas posturas corporales son imágenes somáticas capaces de ser experimentadas de una manera consciente.

PASO DOS

PASO TRES

Organización:
Creando un segundo nivel
de experiencia

Desorganización:
Creando un tercer nivel
de experiencia

PASO TRES: CÓMO DESORGANIZO O CONCLUYO LAS ESTRUCTURAS QUE YA NO NECESITO.

Uso el ejercicio de acordeón. Al intensificar un patrón de tensión tal como el pecho comprimido o las rodillas bloqueadas y llevarlo a su extremo es cuando puedo retroceder, soltar, relajar un poco, liberar los espasmos y experimentar la sensación de alargamiento muscular. Este proceso concluye el espasmo organizado. A medida que la forma desorganiza su intensidad es como un brote de fiebre. Apretando más, más, todavía más, luego soltando un poco, un poco más, aún más, se reproduce el proceso semejante al acordeón de apretar, aflojar, aflojar más, dar forma, menos forma.

PASO CUATRO: INCUBACIÓN, CREACIÓN

El diálogo de órdenes neurales, memorias visuales y emotivas y la acción muscular va creando lentamente un silencio. Es, en muchos aspectos, una incubación. En esta pausa encuentro un torbellino natural de excitación, un ensordecedor silencio de sensación o un brote de corrientes eléctricas que se calientan y funden. Las hormonas del cerebro provocan imágenes de nueva experiencia acompañadas de recursos del pasado. Puedo crear recuerdos de cuando era niño esperando a mi madre en la parada del autobús y tener la sensación de que esta espera era para siempre. Luego la recuerdo regresando. O puedo tener un sentimiento que me informa que es posible esperar sin mantener la espalda rígida. Puedo usarme de una forma completamente original. Mi pauta ansiosa de espera puede desestructurarse y una forma definitiva de esperar toma su lugar.

PASO CUATRO

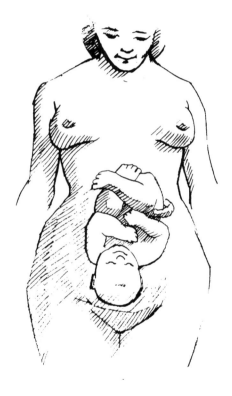

Creación
Profundidades
Pausa
Incubación
Gestación

PASO CINCO: USANDO LO QUE HE APRENDIDO

En este punto hay elección. Puedo olvidar lo que he experimentado y volver a mi viejo modo de hacer. Puedo repetir los cinco pasos pero quedar cautivado en un paso. Puedo esperar indefinidamente para más percepción interior o sentimiento. O puedo usar lo que he aprendido y formar una nueva respuesta. Para hacer esto practico el usarme de una manera nueva transformando la percepción interior en acción. Sistemáticamente me doy órdenes para usar los ojos, los músculos y los pies de manera diferente. Me recuerdo que tengo que aflojar las contracciones del pecho, desbloquear las rodillas tensas y respirar más profundamente. Así es como mi mundo interior encuentra un camino hacia el mundo exterior, mi conocimiento interior se transforma en acción social. Es una unión de cerebro, corazón y músculo. La clave para este paso es practicar una y otra vez de diferentes maneras, para formar una respuesta nueva.

PASO CINCO

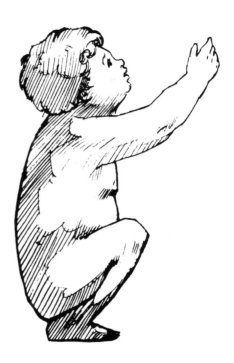

Regreso a la superficie:
Reorganización o Nueva Forma

La Vida Diaria

2

La vida diaria implica crear diferentes formas somáticas para tratar con una variedad de circunstancias cambiantes. El día comienza con el final del sueño y concluye con el final de la vigilia. La sucesión de acontecimientos que tienen lugar mientras tanto incluye interacciones con la familia, los vecinos, compañeros de trabajo, de viaje, etc.

Dejar a la familia en un ambiente cálido y de amor ¿cómo hacerlo? Empezar el ajetreo diario del trabajo ¿cómo?. Dejar el atasco y empezar el trabajo ¿cómo? Usted tiene un desacuerdo con su jefe. Se siente incapaz ¿cómo constituye la incapacidad? ¿cómo podría formar una respuesta diferente? Cuando el trabajo termina, vuelve a encontrarse con el ajetreo del regreso ¿cómo?. De nuevo se encuentra con su casa y su familia, usted es una forma diferente en esa situación. ¿Cómo? Tiene una desavenencia con su mujer y se siente culpable. ¿Cómo?.

Los acontecimientos del día a día proporcionan el espacio común mientras que el ejercicio del cómo proporciona los instrumentos necesarios para explorar el proceso personal. En lugar de hablar consigo mismo examinando, culpando, o encontrando faltas, use el CÓMO para dejar que su forma le hable, enseñándole desde dentro cómo una respuesta configura un acontecimiento externo. ¿Cómo asimila un acontecimiento?; ¿cómo se configura al responder? Si la respuesta habitual es derrotista, ¿cómo la acaba? ¿Permite que se forme esta respuesta hasta que se convierta en una nueva forma?

SUGERENCIAS PARA USAR EL CÓMO

PASO UNO: VISUALIZAR UNA SITUACIÓN ACTUAL

Permanezca alerta consigo mismo en la situación actual. Mírese en un espejo y vea su figura. Por ejemplo, tiene el pecho hacia arriba, el cuello rígido. Pregúntese «¿cómo hago esto?» o «¿cómo hago esta forma?».

PASO DOS: CÓMO LO HACE

Note cómo los músculos dan un sentido a la organización emocional de su cuerpo. Intente percibir su forma de sentir y pensar. Pregúntese ¿Cómo mantengo mi forma, mi imagen? ¿Cómo hago esto con

PASOS DOS Y TRES: ORGANIZANDO Y DESORGANIZANDO

Organización de la Forma
Desorganización de la Forma

mi cuerpo? Las respuestas pueden ser observaciones tales como, «saco pecho», «tenso el abdomen para pensar» o «dejo que los músculos del vientre caigan». ¿Cuál es el diálogo interno necesario para reconocer que los hombros están subidos o el cerebro comprimido? Los intentos para hacer volver su pauta somática no funcionarán. Si se sorprende a sí mismo intentando recuperarla, use los músculos para contraer y soltar, para notar y dar sentido efectivamente a lo que está haciendo ahora.

De esta manera la idea de uno mismo se amplia al campo de lo corporal. «Sé como alzo los hombros al elevarlos». «Sé cómo descenderlos bajándolos poco a poco». La pregunta entonces es: «¿qué es lo que indica a sus músculos que suban o bajen?» o «¿cuales son las imágenes y las ideas que forman parte del proceso continuo de la contracción?».

Respondiendo a estas preguntas, se aprende a hablar con uno mismo somáticamente. No se debe esperar una respuesta directa de la mente ni incluso respuestas reconocibles como palabras o conceptos. Las respuestas pueden ser sensaciones o imágenes. El contacto con uno mismo puede desaparecer. Es así como funciona el proceso. Lo que se está aprendiendo es parte de una cadena de acontecimientos destinados a facilitar el proceso formativo.

PASO TRES: CÓMO ORGANIZAR LA IMAGEN SOMÁTICA

Desorganizar incluye todos los medios para dejar de hacer algo. Puede requerir una respuesta de relajación o su opuesta, un dejarse ir si se encuentra comprimido o viceversa. Use lo aprendido en el Paso Dos, y añádale el proceso de acordeón de intensificación y distensión muscular. Si observa que está encogiendo su vientre puede usar la sensación de absorber hasta el final. Absorba con intensidad, hágalo menos, más, menos, hasta que tenga la sensación de tener el abdomen distendido. Entrénese en la sensación de acabar. Busque la sensación de que algo está disminuyendo, sienta que está dejando de hacer algo.

Pregúntese «¿Cómo me separo de mis rituales y estereotipos de conducta?». Desorganizar los estereotipos puede acarrear un profundo miedo a perder control, a desorganizarse, perdiendo un sentido de orden y realidad. Pregúntese: «¿Cómo mantengo el orden?». «¿Cómo me tenso de forma más rigurosa para hacer esto?». «¿Cuánto me atrevo a desorganizar?». «¿Cómo responderé?». Aquí la comprensión habitual se acaba. A través del ejercicio de acordeón se acaba con los rituales. Ahora, con las acostumbradas respuestas inhibidas, el cerebro está inundado de sensaciones de actividad. El tiempo se detiene o se acelera; el universo personal puede tomar formas extrañas.

PASO CUATRO: CÓMO INCUBAR EMOCIONALMENTE

El paso cuatro es un estado abierto, una especie de pausa. Se espera activamente una nueva respuesta. Esta espera no es pasiva ni meditativa. Es estar alerta sin estarse observando. Es como esperar una visita. Esta visita puede llegar en forma de un sentimiento, una intuición, una imagen o una asociación. Esperar es creación, gestación, incubación. Es una pausa en la cual se sienten elementos de algo que está a punto de ocurrir. La actitud de apertura lo es de continencia, algo contenido aún no explicitado. Hay una sensación de estarse llenando.

Las imágenes, el sentimiento, las sensaciones e ideas brotan. Es este un momento placentero. Se tiene una sensación interior de que algo va a venir. Se está entre lo que se ha terminado y lo que no ha llegado aún, en un lugar de gestación. Mientras está en este estado abierto, intente evitar cambios musculares inmediatos e involuntarios. La pregunta que hay que hacerse es: «¿Cómo estoy esperando?» o «¿cómo se interrumpe o prolonga este estado intermedio de apertura?» «¿Se interrumpe con pensamientos, con impulsos de actividad o con ansiedad? ¿Se prolonga dejando que se apague la excitación? ¿Mide los pasos? o ¿sueña despierto de forma obsesiva? Cuando llegan nuevos impulsos, excitación o imágenes ¿responde como antes? ¿Traduce las respuestas prematuramente en una acción concreta? Permanezca abierto hasta que el estado de pausa empiece a madurar y crecer por sí mismo.

Por fin, algo ocurre. Hay una reunión de todo, una nueva imagen, una sensación, un sueño, una forma de hacer algo. Hay una respuesta.

PASO CINCO: LA RESPUESTA, LA PRÁCTICA DE FORMAR

Elija la respuesta de lo que ha ocurrido o surgido en el paso anterior. Se puede rechazar lo que ha ocurrido, olvidarlo, buscar consuelo permaneciendo en uno de los primeros pasos o empezar a crear una nueva forma a través de la práctica. ¿Qué es la forma? ¿Cómo se encarnan el sentimiento y el pensamiento? ¿Cómo se adquiere dominio cognitivo y se lleva luego a efecto lo que se ha llegado a saber? El proceso de la forma es la parte más conscientemente creativa de la existencia. En este punto se aplica lo aprendido sobre autoorganización. Se puede experimentar poniendo los músculos en juego a través de percepciones, visualización, viejos rituales o imitación. Este proceso conlleva algo más que un control consciente. Para integrar las emociones, la cognición y los músculos, debe combinarse lo no programado así como el programa aprendido. Aplicando una participación consciente a hechos inconscientes se crea una forma a la que se trata entonces de ser fiel. Este proceso requiere una práctica intensa.

> EL OBJETO DE LOS CINCO PASOS
> ES DESORGANIZAR LAS PAUTAS
> DOLOROSAS Y REORGANIZAR
> LA CONTRACCIÓN EN CONTACTO,
> EL DESEO EN INTIMIDAD,
> LA SOLEDAD EN RELACIÓN
> Y COMUNIDAD.

VIDA DIARIA: SOLUCIÓN DE PROBLEMAS Y RESOLUCIÓN DE CONFLICTOS

La vida es resolver problemas, organizarse para tratar con los retos y conflictos de la existencia. La naturaleza humana tiene un sistema altamente diferenciado para tolerar ambigüedades, situaciones no resueltas y comportamientos que no tienen una trayectoria común. El proceso del cómo es una manera de concebir una situación y organizar una respuesta. Da

paso a inhibir respuestas habituales, paso a combinar el tiempo ... a esperar ... a hacer una pausa ... a desviarse ... a volver a concebir la situación ... y luego reorganizarla.

Los cinco pasos básicos del CÓMO pueden aplicarse a cualquier problema:

Ejercicio de autorreflexión
Solución de problemas

1. ¿Cómo planteo el problema en mi imaginación? (Me culpo a mí mismo, culpo a los demás, busco las causas, busco soluciones).
2. ¿Cómo me organizo somáticamente para tratar con el problema? ¿Cómo resisto con los hombros, los ojos, la mandíbula, los músculos?
3. ¿Cómo tomo perspectiva para separar, disociar, desorganizar mi manera de tratar el problema?
4. ¿Cómo permito que las nuevas imágenes, la percepción interior y los planes se incuben y aparezcan?
5. ¿Cómo asimilo lo ocurrido, para usarme de manera diferente y dar un nuevo enfoque al problema y a mí mismo o bien para mantenerme en la misma postura?

CONFLICTO INTERNO

El conflicto es una tensión dinámica entre aspectos contradictorios de una situación. A menudo experimentamos contradicciones entre la intención y la realización. Varios niveles compiten entre sí para retrasar la gratificación, para inhibir necesidades de seguridad, para sublimar el deseo. Puede haber conflicto entre moverse hacia el mundo o hacia el interior de uno mismo.

Un deseo de aproximarse a otro puede ser simultáneamente inhibido por el miedo o la vergüenza. El cerebro percibe un peligro, el corazón se acelera queriendo huir y aún así, los músculos superficiales resisten.

Ejercicio de autorreflexión

Conflicto interno

1. ¿Cómo experimento el conflicto interno? (¿Tengo una imagen, un sentimiento, dos sentimientos contradictorios?).
2. ¿Cual es mi gesto corporal? ¿Es una torsión o un mirar hacia adelante seguido de un impulso de mirar hacia atrás?. ¿Cómo tenso los músculos para mantener esto?
3. ¿Cómo, a través de incrementar y disminuir esta pauta puedo inhibirla, cesarla, abandonarla o desprogramarla?
4. ¿Cómo permanezco desorganizado sin forma aparente?. ¿Cómo asimilo el conflicto ahora?
5. ¿Cómo facilito otra pauta de acción para contener o resolver la anterior. ¿O bien vuelvo a ella?

CONFLICTO EXTERNO

El conflicto no es solo interno. Está a menudo fuera de nosotros, en las relaciones con familiares, jefes, amigos, compañeros. El procedimiento del CÓMO transforma estos conflictos en un camino de autoconocimiento. Cuando se aprende a organizar y desorganizar situaciones de conflicto pueden abandonarse respuestas estereotipadas. En el proceso

del CÓMO no es importante quién está en lo cierto y quién en lo erróneo. El asunto es cómo se organiza la cuestión, cómo se puede desorganizar y, finalmente, cómo se puede reorganizar de forma diferente.

Ejercicio de autorreflexión

Conflicto externo

1. ¿Cuál es mi conflicto actual? ¿Cuáles los papeles que desempeño? ¿Cómo incorporo la situación? (Me encojo, me hincho, me vuelvo atrás, me acomodo).
2. ¿Cómo estoy yo contribuyendo, cómo lo facilito? ¿Qué automatismos pongo en marcha para mantenerme en esa situación?
3. ¿Cómo inhibiré mi participación? ¿Cómo haré separaciones y distinciones? ¿Qué músculos suelto? ¿En qué dejo de pensar o qué dejo de hacer?
4. ¿Cómo me contendré hasta encontrar en mi interior una referencia con la que pueda trabajar? ¿Cómo haré para no volver a la antigua pauta mientras espero que surja una nueva imagen u organización?
5. ¿Cómo hago posible una forma nueva de comportamiento?

Supongamos que tiene dificultades con su pareja. Cree que las cosas no pueden seguir como están. En el Paso Uno descubre que trata el conflicto con ira y hostilidad. El Paso Dos proporciona la experiencia física de su ira y su hostilidad. El Paso Tres explica cómo usted desorganiza la ira. Si se ha organizado para ser combativo, el Paso Tres implica desprogramar esa primera postura. Al bajar su centro de gravedad ya no ve la situación como un insulto: usted tiene la oportunidad de relacionarse de una manera diferente, de distender. Acepta la situación pero desprograma el mecanismo de «luchar o volar»; lo contiene. Y así sigue dando forma a la situación.

> SER AFIRMATIVO
> ES INCORPORAR,
> USAR, DAR FORMA
> A LA PROPIA EXPERIENCIA.

En el trabajo usted puede ser cooperador y aun así buscar reconocimiento. Querer seguridad pero también estímulo. Además quiere respuestas por parte de los demás. Tales necesidades pueden crear conflicto con otras personas o con usted mismo. Una parte del cuerpo refrena a otra parte; por ejemplo, mantener la boca cerrada para no ofender a nadie. Volverse sumiso a las autoridades desinflando el pecho. Por el contrario uno se hincha cuando quiere ejercer la autoridad. Use el procedimiento del CÓMO para experimentar y reorganizar problemas de trabajo y conflictos.

EL CASO DE MORRIS

Morris es un hombre de mediana edad que ha trabajado por cuenta ajena durante toda su vida. Ahora trabaja como empresario autónomo. Está acostumbrado a actuar con rapidez, pero en este momento se enfrenta a las incertidumbres de las negociaciones contractuales y a trabajar con varias organizaciones en lugar de una sola. En la descripción siguiente, Morris habla del uso del proceso del CÓMO para manejar un conflicto en su situación de trabajo. Tiene que esperar antes de actuar y esto le acarrea dificultades.

MORRIS

»Este año va a traer consigo cambios en mi vida profesional. La empresa para la que trabajo está atravesando una crisis financiera, y por consiguiente mi esquema de trabajo también va a sufrir cambios. Mi postura respecto a esta situación implica una espera. Paso Uno: ¿cómo espero? A nivel conceptual hablo conmigo y me digo que las cosas van a salir bien. Mientras espero y me hablo congelo el tercio superior del cuerpo en una serie de maniobras complejas que parecen no tener punto de partida.

»Paso Dos: la lengua presiona fuertemente mi paladar y contraigo el cuello hasta mi cerebro. Endurezco la parte alta de la espalda, hundo la parte delantera del pecho, tiro de las costillas hacia mí por debajo de los brazos; incluso mi cuello tira hacia abajo. Como si fuese una tortuga guardando su cabeza en el caparazón. Sujeto la mandíbula y la estructura ósea del paladar. Mi respiración se hace poco profunda y toda esa zona desde el diafragma y las costillas inferiores se vuelve densa, se estrecha, se para expectante, fuertemente contraída, silenciosa.

»Mientras intento hacer esto más y menos, intensamente, (Paso número Tres), experimento una postura con muchas variaciones sutiles, algo con lo que estoy bastante familiarizado. Esta parece la forma en que me enfrento al mundo y a los demás la mayoría de las veces. Es una especie de desafío por mi parte. (Paso número Uno). ¿Cómo lo organizo? (Paso número Dos) Ladeo la cabeza hacia atrás, comprimo el cuello mientras ejerzo más presión con la lengua contra el paladar. Al mismo tiempo empujo hacia adentro los hombros y la caja torácica. Mientras exagero esto (Paso Tres), noto los músculos lisos de la lengua y el esófago que aprietan todo el recorrido hasta el vientre. Los órganos internos se endurecen y presionan hacia abajo. Comprimo más y más hasta que consigo un endurecido espasmo interno que se hace caliente. Sacudo de dentro hacia fuera. Quiero mantener esto para siempre. Cuando suelto, la distensión comienza en los músculos del vientre y el diafragma, relajando el esófago, aflojando el pecho y las axilas y extendiendo los hombros.

»Este proceso afloja la lengua y mueve ligeramente la nuca hacia adelante. El paladar, el cerebro y el cuello se aflojan. Tras esto experimento internamente una sensación licuosa en mis ojos, como si fueran a venir las lágrimas.

»Al emplear el proceso de acordeón con esta compleja organización, experimento tres fases diferentes: una en el vientre que comprime y tira hacia abajo, otra en el pecho que tira hacia adentro y hacia abajo y otra en la cabeza, cuello, lengua, ojos, paladar. Paso a paso cada pieza se engarza con las otras para construir un gesto total. Experimento una expresión relajada en las superficies exteriores haciendo que estos cambios sean imperceptibles en el entorno. El gesto expresa testarudez y voluntariedad, pero se trata de un estado interno. También hay miedo, temor a algo que puede asustar, sorprender o herirme y, cuando lo suelto un poco, los ojos se me ablandan y humedecen con expresión de tristeza. Estoy triste pero no puedo mostrarlo. Tengo miedo y no puedo expresarlo. Estoy loco pero debo contenerlo (Paso Tres).

»Mi pasado y mi presente se encuentran hechos cuerpo en este instante. Sujeto, tenso, aprieto, enfoco interiormente, congelo y espero. El pasado y el presente se hacen uno en esta forma. Después de trabajar así, salgo al mundo exterior y mientras continúo con mis asuntos diarios la experiencia sigue aún conmigo. Siento mis hombros subiendo, mi cabeza tirando hacia adentro haciendo un giro sutil cuando estoy hablando con un amigo (Paso Cinco). Practico reorganizar esta postura muchas veces al día y cada vez capto aspectos más sutiles. Puedo desestructurar la postura de desafío, temor y espera examinando cada situación desde su amenaza potencial o posibilidad de rechazo. Es un trabajo lento pero esperanzador.»

Este caso representa un fracaso para reorganizar. Morris usa los pasos del CÓMO pero se mantiene alejado de la reorganización interna del llanto o la ira.

Por qué funciona el CÓMO

3

Todo comportamiento humano esta basado en imágenes, sentimiento, sensación, emoción y acción en un proceso formado en sucesivos niveles.

Los pasos del CÓMO revelan este proceso estratificado y muestran que lo aparentemente sencillo es también complejo.

FORMAR

La existencia tiene un modelo y busca un modelo. Todo lo que vive se desarrolla, se mantiene y cambia de forma. La vida es este proceso de formar. Esta tendencia hacia la forma es universal. En el lenguaje de la fenomenología, formar es el imperativo absoluto de la vida.

El impulso básico de lo vivo no es hacia una réplica de sí o a la autopreservación mediante la reproducción. No es la agresión, la sexualidad, la comunidad ni la intimidad. El movimiento básico es hacia la forma, tanto común como individual. Sin forma, nuestra identidad y nuestras relaciones se resienten. La existencia ya no tiene organización: formar requiere

organización. La organización es el cómo del proceso formativo. Las leyes de la organización no ocurren por azar; tienen un orden.

La historia embriológica de cada persona ilustra el cómo del hacerse corporal. Hay un proceso que guía el desarrollo de dos células inicialmente unidas mientras crecen hasta llegar a los trillones de células que forman el cuerpo de un niño. Este proceso tiene reglas y procedimientos definidos. Describí esto en mi libro *In Defense of Heterosexuality*. *

La formación continúa después del nacimiento. Crecer desde la infancia hasta la edad adulta supone más que una proliferación de células. Genéticamente nos dan un cuerpo pero nosotros también formamos ese cuerpo a través de nuestra experiencia y la forma en que nos usamos. El hombre tiene un cerebro que sigue creciendo después del nacimiento; la experiencia afecta a su formación. Nos adaptamos más y más a medida que crecemos formando nuestra experiencia y siendo formados por ella. La vida diaria da cuerpo a nuestra experiencia. La forma física manifiesta nuestras expe-

---

* (En defensa de la heterosexualidad)
  Publicado en Center Press, Berkeley. California, en 1982.

riencias invisibles. Hay pasos y procedimientos para formar. Algunas condiciones tienen que estar presentes y otras tienen que ser establecidas para que se actualice la forma. Por ejemplo, tiene que darse un determinado PH y una temperatura en el útero para que tenga lugar la implantación así como ciertos elementos de nutrición para que el crecimiento prosiga. Fuera del útero las condiciones tienen que seguir siendo favorables con la alimentación adecuada, una protección y un contacto emocional.

La tradición social, al igual que la tradición genética transmite experiencia. Los rituales de aprendizaje con el orinal, en los niños, son una introducción al método societal de aprender autocontrol. Para dominar este aprendizaje tenemos que usarnos. La escolaridad es así mismo una tradición que crea forma exigiendo que dominemos el conocimiento de la sociedad.

El proceso de formar integra y utiliza todas nuestras capacidades de imitación, deseo, sentimiento, análisis, imaginación, ensayo, recuerdo y proyección. A través de estas funciones vivimos nuestra existencia biológica, emocional y psicológica y damos forma a un mundo humano multidimensional.

Para comprender cómo crece su vida, no es importante preguntar sobre la motivación (el porqué), la localización (el dónde) o el tiempo (el cuándo). Todo esto se revela en la respuesta a la pregunta: «¿Cómo hago esto?» o «¿cómo ocurre esto?» Los Cinco Pasos son ejercicios de pensamiento imaginativo, emocional y muscular impregnados de imágenes visuales, auditivas, táctiles, cinestéticas y propioceptivas de la existencia somática.

LA PULSACIÓN

La acción más básica de la vida es la pulsación, algo similar al movimiento de bombeo de una medusa. Se ve en todos los órganos y en todos los músculos. Da al organismo la capacidad de alterar su propio movimiento.

Imaginemos a una medusa propulsándose en el agua: se comprime y se estira. Ante un peligro o contrariedad su pulsación se acelera haciéndose más firme y nadando más rápido. Cuando está tranquila, la medusa se expande de forma circular, fluctuando relajada en el océano con ritmos contráctiles poco detectables.

El proceso vital funciona con parecidas olas rítmicas de pulsación, olas que tienen la facultad de disminuir su ritmo, pararse o acelerar. A través de la inhibición regulamos la amplitud, el volumen y el ritmo de las olas de expansión y contracción. En el ejercicio del CÓMO, usamos la inhibición para intensificar la excitación, la afirmación y su expresión en imágenes y sentimientos que dan un significado a la existencia.

Los movimientos pulsatorios ayudan a la circulación interna e incrementan la sensación y percepción. Experimentamos pulsación en los músculos y en los contenidos de los tubos viscerales, en el corazón y los vasos sanguíneos y en los órganos sexuales. A medida que el sistema nervioso pulsa ayuda a intensificar y modular la presión hidráulica de expansión y contracción. Las mareas hormonales de adrenalina, testosterona y estrógenos contribuyen al ritmo pulsátil que, unido a sustancias químicas, aumentan o disminuyen la excitación.

La metodología del CÓMO nos revela pautas pulsatorias que configuran el pensar, sentir y actuar. Si estas pautas pulsatorias son débiles, los límites serán también débiles y tendremos dificultad para crear forma. Permaneceremos amorfos. A veces compensaremos aguantando, contrayendo, comprimiendo para crear forma. Si las pautas pulsatorias están controladas los límites son demasiado densos, desarrollamos espasticidad y no podemos movernos libremente. Tenemos demasiada forma.

EL ACORDEÓN COMO FUELLE

Como un acordeón, todo ser humano es un tubo hueco con múltiples cámaras capaces de expandirse y alargarse, encogerse y hacerse compactas, comprimirse y soltarse. Los músculos lisos de la cavidad intestinal y sus segmentos a modo de bolsas mueven líquidos por medio de ondas de expansión y contracción que funcionan al modo de un acordeón. El músculo esquelético y los músculos superficiales contribuyen a la acción bombeadora de acordeón de forma parecida a un levantador de pesos cuando sube la barra describiendo una trayectoria por series. Una frase corriente entre los levantadores de pesos es «el bombeo de fuelle», queriendo decir que sus músculos levantan pesos como un fuelle. El músculo esquelético tiene esta función de fuelle o cilindro.

La función de acordeón del músculo esquelético y liso genera una consciencia de movimiento. Las sensaciones que notamos son la huella de la actividad neural que hacen posible la autorregulación. Al movernos, las formaciones cambiantes de las células crean presión. Ese aumento y disminución de la presión es fundamental en el proceso somático. Internamente, el bombeo a la manera de la medusa del cerebro y la médula espinal pone en contacto diferentes zonas del cerebro para crear asociaciones e imágenes. La presión junta las superficies. El acercamiento y el contacto generan presión. El amor, la ira, el miedo y los sentimientos en general tienen relación con sensaciones de presión.

> EL VIAJE FORMATIVO
> ES CONOCER NUESTRAS
> PROFUNDIDADES SECRETAS
> MEDIANTE UN PROCESO
> QUE NOS TRANSFORMA
> DE ANIMALES EN HUMANOS.

El proceso del CÓMO mimetiza la forma natural en que funcionamos. Al hacer hincapié en las pautas internas de apretar, presionar y soltar, adquirimos conocimiento acerca del entusiasmo, la excitación y el sentimiento; llegamos a comprender que la alternativa de presión y excitación nos conecta y separa del mundo que nos rodea así como de nosotros mismos. Esta peristalsis de conexión-separación, presión-menos presión, regula las capas por medio de las cuales organizamos las respuestas de conducta.

LA EXCITACIÓN

Todas las criaturas vivientes son excitables, capaces de serlo por sí o por otros. Esta excitación puede observarse en la búsqueda de comida o pareja, así como en la agitada conducta de la agresión o la huida. La excitación tiene su polaridad opuesta: la descarga y la acción motora. Todas las criaturas presentan esta descarga y liberación. La acumulación de excitación y emoción tiene que ser expresada. Esto es evidente en los juegos infantiles, en llantos de pérdida y aflicción, en los chillidos y gestos agresivos cuando la amenaza está presente. Se experimenta en el acto sexual y en la expresión de emociones. Se ve además en la reacción de los animales atrapados al darles suelta o en la agresión sexual de los mamíferos en celo.

La excitación seguida de liberación es una clave del proceso de la existencia. Las células crecen y se dividen. El corazón realiza el sístole y la diástole. El cerebro se llena de ideas y las expresa en forma de acción, las personas buscan estímulos que las animen a actuar con pasión. Nos llenamos de nuestro propio entusiasmo y buscamos modos de expresarnos. Si fracasamos en encontrar un medio de expresión sufriremos de agitación o expresaremos bruscamente nuestras frustraciones.

El proceso del CÓMO trae consigo la excitación emocional y sensorial, así como su expresión. Los dos primeros pasos del proceso del CÓMO centran la atención en nosotros mismos, en cómo nos apegamos a nuestra excitación, cómo conectamos con otros, cómo usamos nuestro entusiasmo, cómo estimulamos o inhibimos la pasión. El Paso Tres libera excitación y emociones a través del movimiento de acordeón de aumento y disminución de la inhibición. En el Paso Cuatro, profundas corrientes despiertan el cuerpo y la mente con sensaciones y emociones intensas; deseos vívidos se mueven hacia el exterior y hacia la forma. Así mismo aparecen suspiros de aflicción y alivio propios de una acción anticipada que evoca sentimientos tormentosos e inpredecibles. El paso final supone nuestra respuesta a este proceso, un regreso a nuestra excitación original o un aprendizaje práctico para formar nuestra excitación de manera diferente.

La excitación y la inhibición son el elemento esencial del autoconocimiento. Cuando el reflejo se hace susceptible de autodominio podemos acabar con una existencia de simple estímulo-respuesta. Empezamos a tener participación en la formación de nuestro yo. Aprendemos de la experiencia.

Ejercicio de autorreflexión

La excitación

1. ¿Cómo me describo al estar excitado o exaltado? (Fuera de control, reprimido, electrizado)
2. ¿Como organizo mi excitación, la mantengo, la dejo crecer y llegar a todas las partes de mi cuerpo?
3. ¿Cómo podría incrementar o disminuir mi pauta de excitación?
4. En el intervalo, ¿cómo me organiza lo básico de la excitación?
5. ¿Cómo uso este aprendizaje? ¿Regreso a mi pauta de excitación anterior o practico vivir con mayor o menor excitación?

EL PAPEL DEL CEREBRO

Las tres zonas del cerebro –el córtex, el mesencéfalo y el tallo cerebral– contribuyen al incremento de la conciencia. Cada una es un centro regulador capaz de desarrollar ondas pulsatorias y hacerlas más cortas e intensas o más prolongadas y menos intensas. Cada una puede producir curvas largas y onduladas de excitación modificada; ondas de acción rápidas y discretas o curvas planas de hibernación. Cuanto más baja es la complejidad de la vida orgánica más gruesas y primitivas son las ondas de motilidad. Cuanto más elevada es la complejidad de la vida orgánica mayor es la necesidad de coordinación y regulación.

Todo el campo de la función cerebral está implicado en el ejercicio del CÓMO. Por medio de este ejercicio instruimos al cerebro a través de un lazo de realimentación en el que se influyen mutuamente los órganos del cuerpo y varias capas del cerebro. De la parte alta del cerebro, el lóbulo temporal y el occipital, vienen las imágenes y un sentido del tiempo. A medida que las contracciones musculares se intensifican, los lóbulos parietales generan imágenes musculares. Mientras los músculos se tensan y se relajan, la zona multisensorial del cerebro da una respuesta. El hemisferio cerebral derecho e izquierdo componen un diálogo de diferencias en la actividad muscular. Así se manifiesta el sentimiento asociado con las contracciones. El temor, la ira y el placer se localizan en el tálamo y el hipotálamo. El cerebelo tiene que ver con el ajuste espontáneo a la gravedad, la postura erguida, la orientación en el campo gravitacional. Cuando empiezan las corrientes eléctricas, el corazón se acelera o hay excitación sexual; estamos en el tallo cerebral o la médula espinal –esas regiones profundas donde experimentamos creación sin símbolos ni palabras. A medida que subimos, movimientos innatos del

CORTEX

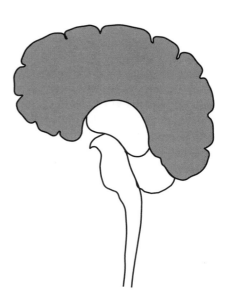

Nivel Social Exterior
El cerebro Societario

tallo cerebral y sensaciones de placer y temor organizan el tálamo mesoencefálico para encontrar formas de expresar estas sensaciones como adecuados gestos sociales; llevamos a cabo un diálogo entre el cortex, con su capacidad para la diferenciación muscular y el tálamo con sus sensaciones. Estas pautas de organización constituyen un verdadero lenguaje del conocimiento de uno mismo.

La principal función del cerebro es facilitar una secuencia de acontecimientos. El cerebro organiza los estímulos en varias capas o distintos ritmos a través de la geometría de su forma. La densidad de fibras en el estrechamiento del tallo cerebral acelera los impulsos. La estructura curvada del sistema límbico ralentiza los impulsos y los vuelve hacia sí mismos. El cortex pulsante establece nuevas conexiones al hacer que se asocien varios impulsos. El cerebro localiza los estímulos y sabe como desvelar el intento. Informa al resto del organismo pero su principal interés se centra en cómo están funcionando la excitación y los impulsos. El cerebro forma parte del proceso de formar en la misma medida que el resto del cuerpo.

El cerebro pulsa. Su pauta de pulsación o motilidad orgánica crea, aumenta y disminuye presión. A través de la regulación de la presión, la motilidad misma se regula para alterar el metabolismo, los movimientos de ida y venida, la actividad hormonal e incluso los modos de pensar. El cerebro pulsante mantiene el flujo y reflujo del líquido cefalorraquídeo que circula por los ventrículos cerebrales provocando relaciones cambiantes en las distintas áreas del cerebro.

LA INHIBICIÓN Y EL CEREBRO

El cerebro no es un aparato que se pueda encender o apagar, ni una central telefónica. El cerebro es un océano viviente de corrientes electrohormonales generadas por la totalidad del soma incluyendo el propio cerebro. El flujo de estas corrientes al circular por los nervios y los músculos puede acelerar y frenar los procesos. Cuando ciertos acontecimientos internos se ralentizan, otros distintos emergen.

Los músculos, que en un sentido son como nervios gruesos, esperan, predispuestos a actuar y tienen que ser frenados. Este freno es la inhibición. La inhibición de ciertas acciones y acontecimientos permite que otros emerjan. Al inhibir la contracción podemos ser capaces de articular miedos o de ver donde cometemos errores. Al inhibir respuestas sexuales naturales podemos ser capaces de acrecentar la ternura o llegar a ser más consciente de ella.

El libro *Your Body Speaks Its Mind** puntualiza que ser uno mismo, estar en acción, disminuye la autoconsciencia. Para que uno sea consciente debe detenerse, inhibir su proceso. Entonces se hace posible el conocerse a uno mismo. Es ciertamente una paradoja, el hecho de que la espontaneidad, la creatividad y el crecimiento personal puedan depender de la capacidad de no ser espontáneo, de inhibir respuestas. El cerebro es un órgano de suyo estructurado para detenerse o parar. Esta función de parar sirve para conseguir una acción más diferenciada y refinada. También se puede prolongar un

---

* Tu cuerpo expresa su mente.
  Publicado por Center Press, Berkeley. California 1975.

gesto, perpetuar una conexión o relación, de manera que pueda surgir más aprendizaje. A través de la inhibición se desarrollan habilidades físicas y también emociones. La ternura se convierte en amor, la ira se vuelve compasión, la palabra se hace canción.

LA FUNCIÓN DE LA INHIBICIÓN

La inhibición es una forma de parar, de contener, de consolidar. Ciertamente la inhibición no consiste en llegar a un punto muerto pues en tal caso sobrevendría la muerte. Contenerse o frenarse evita la catástrofe. No solamente la de parar justo antes de caer al precipicio; si va también puede evitar una ruptura el freno emocional que ralentiza los impulsos y las acciones que repiten el pasado.

La inhibición es una forma de moción lenta que altera el ritmo del metabolismo, la velocidad de una acción, el cambio de dirección de una emoción. Paradójicamente, la inhibición es espontaneidad. Detenerse estimula la aparición de otras acciones e impulsos, da una oportunidad de reflexionar sobre una situación. Podemos ensayar otras posibilidades. Las imágenes internas no serían posibles sin esta habilidad para retener una actividad. La inhibición es el núcleo del autogobierno. El proceso del acordeón en funcionamiento es este proceso de discriminación en marcha. El ejercicio del CÓMO acelera y cristaliza nuestras respuestas. De esta manera forma una existencia interior.

Por supuesto, una inhibición excesiva o escasa puede aprisionarnos o incluso

TÁLAMO-MESENCÉFALO

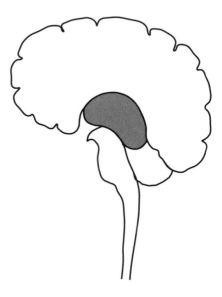

Nivel Muscular Medio
El cerebro Personal-Emocional

matarnos o bien llevarnos a la sobreexcitación o al aburrimiento. Una postura de orgullo puede inhibir tanto la derrota como la satisfacción. El aislamiento puede inhibir el contacto. Con demasiada inhibición los deseos y los sentimientos nunca afloran. Por el contrario, la falta de inhibición puede hacer que nuestros sentimientos nos inunden a nosotros o a los demás.

El ejercicio del CÓMO enseña libertad emocional mediante la inhibición. Al plantearse la pregunta, ¿cuál es su propia imagen?, su respuesta debe ser la de inhibir, suspender toda acción y percibir la imagen de su situación. Este es el Paso Uno. Experimentar cómo se contiene a sí mismo es impedir que ocurran otras posibilidades. El Paso Dos proporciona los acontecimientos precisos de la inhibición muscular que mantienen su postura. La inhibición, el aumento y la disminución de las contracciones y la ralentización de la acción en el Paso Tres, da lugar al Paso Cuatro con la aparición de sentimientos que fueron suprimidos. El Paso Cuatro es la fase del control mínimo voluntario de la inhibición. En este punto el dar y recibir del aumento y la disminución, la contracción y la expansión, no están influenciados por una decisión consciente. En el Paso Cinco la inhibición se convierte en su principal referencia, al apoyar pautas nuevas mediante la práctica del control voluntario y también al evitar que regresen fácilmente pautas anteriores.

Ejercicio de autorreflexión

La inhibición

1 ¿Cómo describo la inhibición: retenida o no retenida; impulsiva o reprimida?

2. ¿Cómo me uso a mí mismo para estar demasiado inhibido o demasiado poco?
3. ¿Cómo aumento o disminuyo la inhibición?
4. ¿Cómo espero, observo, permito que la pausa me enseñe?
5. ¿Cómo uso lo aprendido para formar una nueva posición de inhibición o regresar a la antigua?

LA MEMORIA MOTORA

Al trabajar con el CÓMO, la capacidad de recurrir a simples movimientos musculares es básica. El cerebelo, la parte más importante de esta función tiene la tarea de retener y recordar pautas esenciales de movimiento muscular. De la misma manera, el tallo cerebral es el responsable de los músculos viscerales de fibra muscular lisa; y el tálamo y el córtex de los movimientos musculares y emocionales. El yo es una organización continua de acciones musculares constantes llamadas pautas motrices. Estas pautas constituyen un cierto leitmotif, principalmente inconsciente y una pauta de consciencia, parecida a la intuición. Usamos los músculos y sin embargo no sabemos que los estamos usando. Las pautas del movimiento muscular son la fuente de lo que llamamos memoria. Podemos pensar en la memoria como una recolección de imágenes, situaciones y emociones, una especie de holograma del acontecer. A fin de reproducir esa experiencia holográmica rememoramos una pauta muscular del pasado junto con sus asociaciones emocionales. Al volver a experimentar así esas pautas y asociaciones podemos hacer que las imágenes internas representen aquel acontecimiento.

Esta acción de recordar es la memoria motora. A través de la memoria motora, el acontecimiento rememorado como una pauta de actuación funciona como organizador para el siguiente nivel de organización y conducta. Esto es lo que une memoria y consciencia así como pasado, presente y futuro.

Los pasos del CÓMO hacen uso de la memoria motora intensificando la actividad de pequeños grupos musculares en formas macroscópicas de acción. Evocamos las ya presentes mini pautas de memoria motora de una forma intensificada. La acción muscular resultante es antigua y moderna. Las nuevas pautas de comportamiento que establecemos a partir del ejercicio del CÓMO están construidas sobre nuestra experiencia del pasado en el presente.

TALLO CEREBRAL
CEREBRO POSTERIOR

Nivel Orgánico Interior
El Órgano Instintivo
Regulación del Cerebro

NIVELES DEL CEREBRO
Y NIVELES CORRESPONDIENTES DEL YO

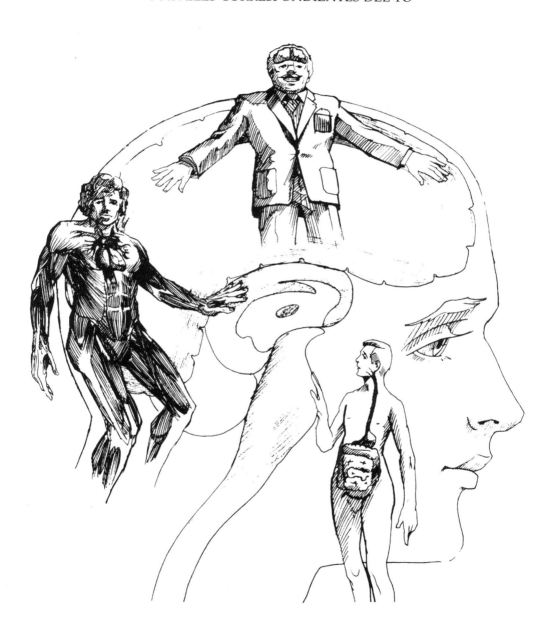

Vida Interior

4

EL HOMBRE INTENTA expresar la experiencia interior mediante objetos externos que son analogías de la experiencia humana, por ejemplo, pinturas rupestres, pilares totémicos o usando disfraces y máscaras animales para indicar que se siente como un animal. Se utilizan cuentos y poemas, mitos y sueños para expresar el significado interior de la biología, el nacimiento, el embarazo, el crecimiento y la muerte. Son intentos de comprender una dimensión de la existencia que difiere de la orientación externa de los sentidos. El proceso de los Cinco Pasos sigue esta misma tradición.

La percepción de una dimensión interior ilumina el complejo dinamismo de los ámbitos vitales, la familia, las situaciones sociales, los individuos. Novelistas y dramaturgos enfocan esta dimensión interior cuando presentan las luchas de la vida individual. Esta dimensión interior es un tema fundamental en la literatura moderna.

El lenguaje de la experiencia interior es diferente del lenguaje del mundo exterior. Emplea otro vocabulario. El reino de las imágenes, los sentimientos, los recuerdos y las acciones tiene sus propias reglas. El proceso del CÓMO es una

ESTRATIFICACIÓN DE LA EXPERIENCIA

Los Cinco Pasos como un fenómeno que va de la superficie al interior.

El proceso de organización y desorganización

manera de entender la conexión entre la organización interna y el comportamiento externo. El reto es encontrar un vocabulario que describa lo que, pareciendo estar más allá de la psicología y la biología, sin embargo las incluye. La voz de la vida interna, expresada como experiencia, conocimiento y comportamiento, es la voz de la forma organizada en estratos. El ejercicio del CÓMO desarrolla un lenguaje para esa experiencia. Crea un espacio a través del cual el proceso interno puede hablar. Las características físicas de este enfoque crean conexiones entre lo visible y lo invisible, entre el sentimiento profundo y el comportamiento exterior. A medida que se viven estas conexiones, encontramos que no hay distancia o separación entre ellas; son aspectos de un mismo proceso continuo de experiencia existencial.

EL CARÁCTER

El carácter manifiesta una organización coherente, una lógica interna con modos de expresión, emoción y acción subsiguientes. Es el comportamiento por el que uno es más conocido. Su estructura es la suma de la propia historia emocional y de reglas genéticas universales.

El carácter, como toda estructura, tiene capas que funcionan para la supervivencia y el mantenimiento, la protección y la alimentación, el crecimiento y la reproducción. Tales estratos pueden ser identificados en el cerebro, así como en el tallo cerebral, el mesencéfalo y el córtex y en el cuerpo entero, la piel, los músculos, las vísceras, los líquidos y los huesos.

Mediante el ejercicio del CÓMO se experimentan las capas de la estructura y su conexión con el carácter.

Ejercicio de autorreflexión
El carácter

1. ¿Cuál es el comportamiento por el que me reconozco a mí mismo o por el que los demás me reconocen? (Amigable, obstinado, halagador, serio)
2. ¿Qué hago físicamente para formar este comportamiento?
3. ¿Cómo puedo hacerlo más o hacerlo menos?
4. ¿Qué me pasa después de hacer esto?
5. ¿Cómo uso estos conocimientos?

LAS RELACIONES Y LOS CINCO PASOS

Aunque el enfoque principal de este libro consiste en trabajar consigo mismo, también implica la participación de otros. En último término, vivimos y morimos con los demás. El trabajo con nosotros mismos afecta a los demás, así como ellos a su vez, nos afectan a nosotros. En el curso del trabajo con nuestro proceso somático-emocional, invocamos relaciones interpersonales del pasado, el presente y el futuro. Cómo busquemos crear intimidad o distanciarnos, compartir o retener nuestros sentimientos, hará que nuestro proceso sea un evento humano de calor o frialdad.

Cada persona forma una relación dual de contacto y conexión consigo mismo y con los demás, manteniendo también separación y diferenciación. Surgen impulsos y deseos que requieren primero autodominio y luego contacto con otros para poder ser satisfechos. Como resultado de las agresiones o amenazas que hemos sufrido, se puede producir un número variable de situaciones: conectamos con los demás pero perdemos nuestros límites; conectamos solipsísticamente con nosotros pero abandonamos el contacto con los demás; sentimos impulsos incontrolados y nos hacemos víctimas de dichos impulsos; o al hacer contacto con los demás, acabamos siendo manipulados por ellos. Los Cinco Pasos constituyen un ritual para mantener la conexión, establecer el contacto y manejar nuestros sentimientos y necesidades. A través de los Cinco Pasos es posible saber cómo establecemos la relación y el contacto con los demás. Hay un ritual para ello, de manera que se tengan en cuenta la proximidad y la distancia al mismo tiempo que seguimos con el control de nuestras propias necesidades y sentimientos. Todos nosotros tenemos la necesidad de contactar con los demás. Este contacto puede estar basado en una necesidad instintiva, una idea social o una elección personal. Un ritual organizado puede servir para sustituir lo que se percibe como una obligación, un deber o una tarea, por la experiencia de un contacto personal.

El Paso Uno muestra la imagen, el rol o postura que tenemos en nuestra conexión con los demás, asumida corporalmente como una actitud de proximidad o distancia. Los Pasos Dos y Tres tratan de cómo nos abrimos a los demás y volvemos a nosotros mismos, llegamos a estar cerca y nos retiramos, mantenemos la conexión o retrocedemos. ¿Somos obedientes y pasivos o rebeldes y desafiantes? En el Paso Cuatro entramos en el mundo visceral de funciones y acción, ausentes de imagen, conectados con nosotros mismos y con los demás a un nivel profundo. En este punto estamos dispuestos a formar otro nivel de relación, ya sea ampliar o acortar el contacto y la conexión. Esto queda representado en el Paso Cinco.

> LOS CINCO PASOS LE AYUDAN A SABER Y A SENTIR CÓMO ESTÁ ORGANIZADO EN UN ESTADO PRESENTE, CÓMO SE VUELVEN PERSONALES LA EXCITACIÓN Y LA EMOCIÓN Y DAN SALIDA AL IMPULSO DE FORMARSE, A MEDIDA QUE SE HACE MÁS PROFUNDA SU EXPERIENCIA.

Cada una de estas etapas ofrece estímulos que afectan a nuestra manera de relacionarnos, y de generar o resolver conflictos. Algunos de nosotros nos estancamos al intentar relacionarnos de acuerdo con ideas de distancia y corrección. De este modo, las propias necesidades quedan sumergidas. Por el contrario, podemos actuar de un modo impulsivo, sin ser capaces de controlar o dirigir nuestros impulsos, de manera que su exteriorización perjudica a los demás y también a nosotros, podemos inhibir, interferir nuestros impulsos hasta desembocar en un espasmo depresivo, separados y solos; o bien convertirnos en un soñador incontrolado, desinhibido y sin forma, viviendo nuestra propia fantasía del Paso Cuatro. Quizás estemos constantemente intentando ser perfectos o cambiar el mundo, convirtiéndonos en una corriente constante de conexión que no llega nunca a establecerse en concreto.

Ejercicio de autorreflexión
La relación interpersonal

1. ¿Cuál es mi idea de tomar contacto o conectar con los demás o mi respuesta a sus intentos de contactar conmigo?: ¿quiero cercanía, distancia o una combinación de ambas?, ¿genero contacto o respondo a los intentos de los demás por conectar?
2. ¿Cómo organizo mi idea, papel o gesto acerca del contacto y la conexión?
3. ¿Cómo inhibo estas ideas, papeles y gestos?
4. ¿Cómo existo en una conexión no condicionada conmigo y espero a que se forme una nueva imagen de contacto?
5. ¿Cómo regulo el contacto con los demás de una forma nueva? ¿Cómo permito formarme por medio de sus peticiones e intento dar forma a su contacto conmigo?

EL SENTIMIENTO Y LA FORMA

Los sentimientos son el resultado de pulsiones celulares, metabolismo, corrientes citoplasmáticas y motilidad interna. Para alcanzar satisfacción organísmica, la sensación tiene que completarse haciendo nexos de unión entre la organización líquida y el comportamiento muscular. Una función del sentimiento es la de comunicar estados profundos como el ansia, el amor, el dolor. Una segunda función es la de organizar estados de consciencia y acción. Al crear organiza-

ción continua, al buscar expresión, la sensación se hace forma. La forma y la sensación son pues un «continuum» que va desde el estado líquido al sólido, de la experiencia interior a la expresión externa.

A medida que crecemos, nos configuramos perfilando nuestros sentimientos. Cuando, de niños, somos intimidados o criticados por los adultos, nos desplomamos, nos retiramos, nos hundimos, nos empequeñecemos. Creamos una forma que comunica pequeñez o humillación. O bien respondemos a la crítica con desafío, rebeldía, ira o desprecio; nos defendemos del ataque, poniéndonos rígidos y reforzándonos. Así pues, el sentimiento crea nuestra forma, si bien esa forma mantiene otros sentimientos intactos.

La escuela y otras instituciones entienden sobradamente esta conexión. En la escuela nos enseñan a prestar atención, nuestros sentimientos son silenciados para concentrarnos en una autoridad externa. Esta forma se crea al estarse quieto, estirar el cuello, mirar atentamente y tensar la cabeza. A medida que aprendemos esta forma descubrimos que los impulsos y deseos interiores se acallan. Los militares entrenan a los soldados en una determinada postura - pecho erguido, estómago adentro y glúteos contraídos, que sirve para controlar los sentimientos de miedo.

Este fenómeno del «continuum» sentimiento y forma es esencial para comprender la naturaleza de la vida emocional. Al hacernos adultos, descubrimos que tenemos sentimientos con pocas vías de expresión debido a que o bien nuestros padres o la sociedad, no podían tolerarlos o a que nunca surgieron; o bien nuestra forma de ser continúa

LA CONTINUIDAD DE LA EXPRESIÓN EMOCIONAL

Cómo el Sentimiento Cambia la Forma

apelando a sentimientos a los que ya no ha lugar, como el de obediencia a la autoridad o el sentirse pequeño; o bien nos encontramos en roles aprobados socialmente con poco sentimiento subyacente para reclamar el nuestro.

Hoy muchos insisten en que la expresión de los sentimientos es de vital importancia. Pero, ¿a qué sentimientos se refieren? ¿a los basados en la realidad presente o a los de un tiempo pasado? Cuando, de adultos, algunas personas siguen expresando sentimientos de tipo infantil, los verdaderos sentimientos adultos no se desarrollan nunca. Los sentimientos están encaminados a estructurar una situación presente. Cuando representan algo inacabado del pasado, su impacto presente se acalla. Por ejemplo, para algunos la ira es una respuesta emocional encaminada a reestructurar una situación actual; para otros el enfado cotidiano genera automáticamente rabia y la perpetuación de recuerdos infantiles de impotencia. La metodología del CÓMO puede desorganizar la rabia y la continua disposición interior para el combate y permitir que los sentimientos negativos se incuben hasta que otros distintos emerjan. La capacidad para contener los sentimientos es tan importante como la capacidad para expresarlos.

Otro problema son los sentimientos sin vías de expresión. Algunas personas sienten la necesidad de llorar pero no pueden hacerlo. En su memoria está grabada la frase: «ya eres mayor para llorar»; así que sofocan el sentimiento conteniéndolo. Están atascados en una organización anterior sin modo de movilizar su sentimiento llorando o desmantelando la forma que consiste en estar a punto de llorar.

El sentimiento es un «continuum» de intensidad que requiere cada vez más niveles de organización. Pero, es también subsidiario de la forma. Hay una relación recíproca entre los matices de la forma y la intensidad del sentimiento. Los Cinco Pasos están encaminados a cristalizar este «continuum» de organización sentimiento-forma y a ayudar cuando esta organización no es apropiada. Al establecer reciprocidad entre forma y sentimiento el ejercicio del CÓMO mantiene la frescura del sentimiento y la diversidad de su expresión. Se revela así la conexión secreta entre forma y sentimiento, uno de los misterios más profundos de la existencia humana.

LA IDENTIDAD EMOCIONAL

La emoción es comportamiento. La ira, la rabia, el miedo, el terror, el placer, la alegría –todos ellos tienen una forma muscular y visceral clara y requieren una pauta organizada de acción. Una vez que se identifica la pauta muscular de una expresión emocional organizada, es susceptible de volverse a organizar.

Ejercicio de autorreflexión
La identidad emocional

1. ¿Cuál es la característica permanente de la emoción?: ¿estoy alegre, triste, enfadado, resignado, amargado?
2. ¿Cómo organizo esta emoción?
3. ¿Cómo la intensifico o la dejo ir?
4. ¿Cómo permito la aparición de otra emoción?
5. ¿Cómo doy forma a cualidades emocionales nuevas o regreso a lo que me resulta familiar?

LA CONTINUIDAD DEL GESTO EMOCIONAL

De la Compresión a la Inflación
De la Contracción al Ataque
De Infraformado a Hiperformado

LA DEFENSA CONTRA LA VERDAD EMOCIONAL

Todos queremos rechazar el daño, el insulto, el rechazo, el desprecio. Al practicar el ejercicio del CÓMO descubrimos cómo defendernos somáticamente de ofensas pasadas. Los mecanismos de defensa basados en antiguos rechazos y desengaños impiden respuestas emocionales directas y su configuración en el presente. Las reacciones defensivas se convierten en ideas o imágenes de uno mismo –por ejemplo, «soy invulnerable»– y llegan a hacerse parte de la organización habitual. «Haré esto perfectamente, me usaré con la columna erguida y una impecable coordinación». A veces, el miedo impide que se organicen nuevos intentos. La espera es también una defensa. La acción de posponer impide moverse hacia el mundo de nuevo.

Ejercicio de autorreflexión

La defensa emocional

1. ¿Cómo me defiendo contra la repetición de ofensas pasadas?: ¿estoy estirado, sonriente, amenazante, entregado?
2. ¿Qué hago para crear este gesto?
3. ¿Cómo puedo deshacerlo, haciéndolo más o menos?
4. ¿Qué ocurre cuando espero?
5. ¿Puedo estar sin mis viejas defensas o regreso a ellas?

LA REALIDAD A DISTINTOS NIVELES

Nuestra forma es una realidad a distintos niveles y cada nivel es una estructura de realidad interna y externa. Uno de estos niveles es impersonal, genético no volicional; otro es societal, tradicional, imitativo y otro es personal, subjetivo, volicional. Denomino a estos tres niveles prepersonal, postpersonal y personal.

Lo prepersonal es lo heredado, la experiencia genética, la anatomía, el género que nos diferencia y los instintos. Esto nos viene dado por la existencia. Lo postpersonal representa la tradición, las experiencias de familia, escuela, trabajo, sociedad, cultura. Nos educan dentro de las reglas de todos estos ámbitos y luego las practicamos, imitamos, perpetuamos y perfeccionamos. Por último, el nivel personal representa la manera en la que tomamos cuerpo y poseemos las experiencias prepersonales y postpersonales, nos otorgamos identidad personal, nos usamos para construir una forma privada y personal.

Estos niveles forman lo que denominamos nuestra identidad. Tenemos una forma instintiva, una forma que la naturaleza crea para expresar nuestro género y asegurar la supervivencia adulta. Cómo formamos nuestros instintos o cómo ellos nos forman a nosotros, se puede observar en la forma y el comportamiento que llevamos a cabo. Por otra parte, el modo en que la sociedad nos forma como seres educados, competitivos, racionales, también se observa en las formas, roles y gestos que adoptamos en público, hacia extraños, con amigos, en el trabajo o cuando estamos con los demás. Finalmente está el yo construido, una organización de acontecimientos que cristaliza las experiencias de esos dos mundos. Nuestro nivel personal comienza como una respuesta única e individualizada a los otros niveles.

CONTACTO Y CONEXIÓN ENTRE LOS NIVELES

Existe una poderosa relación entre los tres niveles –prepersonal, postpersonal y personal. Cómo se conecten y comuniquen entre sí estos tres niveles es tarea del proceso formativo, en particular, de los Cinco Pasos.

La conexión y el contacto entre los distintos niveles nos ofrece una primera identificación de nosotros mismos, un sentido de «yo» o «mi». Si nuestro proceso es objetivado, puesto fuera, distanciado, llega a hacerse un «no yo». Distanciar de nosotros experiencias de cualquier nivel puede hacernos creer que somos diferentes de nuestro yo formativo. Podríamos creer en esa imagen objetivada y estereotipada interior como en nuestra verdadera identidad. En tal caso uno «tendría un yo» o una imagen de sí, en vez de «un ser en proceso de autorrealización».

Cualquiera de los niveles puede ejercer demasiado control o demasiado poco. Si el nivel social ejerciera demasiado control nos volveríamos «supercivilizados» o una especie de robots. Si al contrario, el condicionante social ejerciera demasiado poco control seríamos manejados por nuestros impulsos. Cuando falta el yo personal tendemos a identificarnos en exceso con nuestra condición social o bien con nuestras imágenes y deseos instintivos. Contrariamente, podemos sobrecontrolarnos de manera que perdamos contacto con lo prepersonal y acabemos centrados exclusivamente en nosotros. Para algunos, el nivel exterior, al hacerse excesivo, aplasta al interior. Para otros, el nivel exterior está por formar y el instinto o yo privado permanece salvaje.

Los Pasos Dos y Tres hacen conexiones y contacto entre nuestros niveles y las formas que lo posibilitan o lo inhiben. Los Pasos Dos y Tres se refieren a organización y desorganización, expansión-contracción, intensificación-desintensificación y abren la puerta a la volición y a la acción refleja, indicando cómo se hace o se forma el contacto y la conexión.

Los Pasos Dos y Tres generan sensaciones y sentimientos, aumentan y disminuyen el curso de los mensajes propioceptivos ocasionados por el cambio en los órganos y en la forma muscular y de ese modo, construyen una nueva imagen corporal. Nos concentramos en los límites de nuestro mundo somático, contactamos, intensificamos, nos estructuramos y desestructuramos y así profundizamos en la experiencia a varios niveles. Este proceso de cooperación cerebro-mente y músculo-mente es un diálogo por medio del cual, el organismo va aprendiendo la manera de hacer personal lo que era impersonal o colectivo. Al trabajar con este método descubrimos los niveles de nuestro proceso - de la postura a la actitud, a la expresión, a formar una expresión. Vamos desde las pulsaciones de lo involuntario a la organización personal de sentimientos y emociones, a formas con acción y significado. Desorganizamos lo dado y lo reorganizamos en una expresión íntima más compleja. Vamos, desde la actuación, a inhibir esa misma actuación, a dejarla apartada, a reorganizarla.

Ejercicio de autorreflexión
El nivel de contacto y conexión

1. ¿Cuál de mis niveles siento como hiperactivo o hipoactivo?: ¿el instintivo, el social, el personal?

2. ¿Cuál es la organización física de esta hiperactividad o subactividad?
3. ¿Cómo intensifico estas organizaciones?
4. ¿Cómo establezco una pauta, me vuelvo receptivo, permito que otro nivel forme una voz?
5. ¿Cómo aplico lo que he aprendido?

EL PAPEL DE LA CORRIENTE PULSATORIA

El mar de sensaciones que proviene de los ritmos de pulsación es nuestra matriz, una geometría que las células cerebrales convierten en formaciones que representan los niveles prepersonales, sociales y personales.

La pulsación es el ser básico. En sí, es una corriente con ondas que generan deseo, sensaciones, ideas, acciones. La pulsación es un legado prepersonal. Construye a partir de una capa exterior una membrana y un contenedor separando el exterior del interior. De esta manera, la corriente se establece en distintos niveles y el exterior puede hablar al interior. Así comienza el proceso de retroalimentación, de diálogo, de autocharla. La dimensión humana emerge. El diálogo de lo exterior con lo interior crea una respuesta que estabiliza nuestras asociaciones y recuerdos, conceptos y acciones y nos da un sentido de existencia personal. Esta formación del yo privado es monumental. Formar otro nivel supone regular una existencia dualística y personalizar una vida impersonal. Ahora tenemos una tríada en lugar de una diada.

Desde las pulsaciones protoplasmáticas u organización básica animada, formamos una morfología cinética. Esta configuración móvil en formación, al expandir la experiencia de sus varios niveles crea, finalmente, una personalización. Nuestras respuestas ya no son, de una parte, meros apetitos o, de otra, unos mandamientos sociales sino la experiencia personal de formar una vida.

El proceso continuo de pulsar es una experiencia vital básica, capaz de organizar y desorganizar estructuras que la representan. Asi se revela en el proceso de los Cinco Pasos. La intensificación y desintensificación produce recuerdos de acontecimientos, acciones y situaciones del pasado, creando un espacio que permite proyectar el ayer en el mañana. El proceso pulsátil se vuelve onda, una onda repetitiva circulatoria y peristáltica, que organiza la forma y asimila los contenidos de su entorno para destilar y transferir esos contenidos a sí misma. Esta autogeneración es la identidad protoplásmica, la morfología cinética, la configuración emocional. Es deseo en marcha que organiza las ansias y experiencias de la existencia en configuraciones que permanecen y comunican. Nuestro sentido del «yo» se convierte en un proceso en movimiento, formando y reformando la configuración del propio yo.

EL EJERCICIO DE LA PRESIÓN

Toda actuación conlleva presión. Cuando nos piden algo difícil, nos imponemos más presión. «Para de llorar» o «sé bueno», son ejemplos claros de esto. Para hacerlo tenemos que tensarnos, contener

LOS TRES CAMPOS DE LA EXISTENCIA

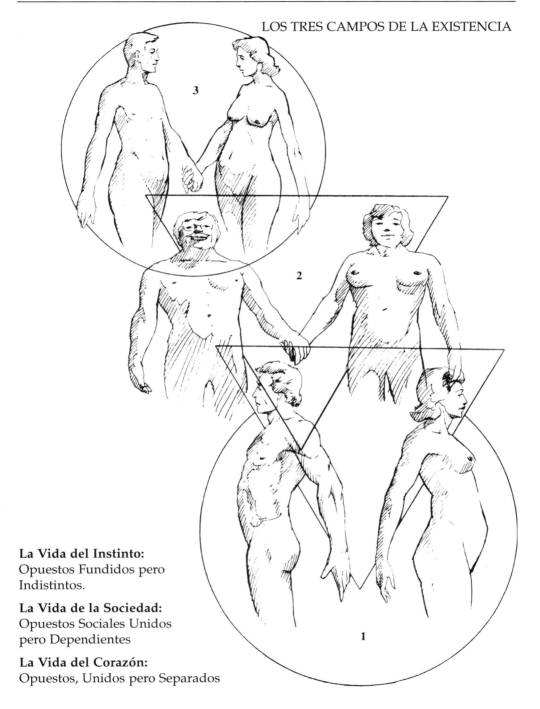

La Vida del Instinto:
Opuestos Fundidos pero
Indistintos.

La Vida de la Sociedad:
Opuestos Sociales Unidos
pero Dependientes

La Vida del Corazón:
Opuestos, Unidos pero Separados

CONEXIÓN DE LOS TRES NIVELES DE ORGANIZACIÓN DEL YO

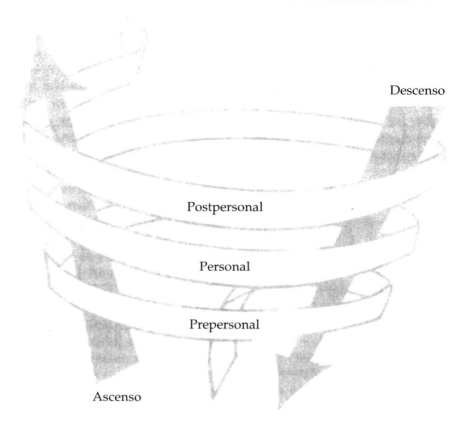

Descenso

Postpersonal

Personal

Prepersonal

Ascenso

En el nivel prepersonal experimentamos los Cinco Pasos no como una parte de nosotros sino como algo que ocurre, que es dado por la naturaleza

En el nivel postpersonal experimentamos el proceso como si perteneciese a otros, a la sociedad, a las instituciones, al estado, a nuestra familia. Nuestro proceso es compartido, es suyo y nuestro, es la socialización de la biología

En el nivel personal el proceso se experimenta como nuestro: en los otros niveles el proceso nos posee pero aquí somos nosotros quienes lo poseemos. La experiencia es nuestra. Es la personalización de la biología impulsos, inhibir la manera de hacer algo. Podemos sentirnos amenazados por nuestros propios anhelos, por nuestras respuestas; por sentir ira, tristeza, sensaciones sexuales. Intentamos comprimirnos para adaptarnos a la imagen que queremos que los demás aprueben. Creamos presión en los diferentes niveles –social, personal, instintivo. Inhibimos una forma para facilitar otra.

He aquí un ejercicio sencillo para experimentar la realidad de los distintos niveles así como los Pasos Dos, Tres y Cuatro. Presione o comprima la cabeza. ¿Cómo realiza esto? Presione más. Ahora suavícelo un poco. ¿Cómo lo hace? Comprima más fuerte cerrando los ojos. Ahora suavice el gesto. Presione más la cabeza implicando a la boca, al cerebro y al cuello. Apriete más, más aún, suavice a continuación, luego vuelva a apretar más y entonces suavice más; luego apriete tanto como pueda - un nudo de contracción. Ahora suavice un poco, suelte lo que ha creado, suavícelo más, haga una pausa, espere, luego relaje toda la tensión. Repita todos estos pasos secuenciados varias veces.

En este sencillo ejercicio se organiza la forma a modo de presión y luego se desorganiza la forma abandonando la presión. Al hacer esto podrá ser capaz de reconocer la forma social, el nivel exterior, el primer tensionamiento como un freno, una máscara social, como obediencia, concentración, actuación pública; el segundo nivel, nivel medio o nivel personal como prudencia, peligro, control de la ira; y el tercer nivel, o prepersonal, como un shock profundo, una hibernación, un reflejo de terror. Al desorganizar se abandona el shock, la prudencia y el freno. Al llevar a cabo el ejercicio de presión bien con la cabeza, el pecho o la pelvis, se reconoce la presión, entonces más presión, a continuación menos; forma, después más forma y luego menos. Social, personal e instintivo. Cuando usted forme una experiencia del «continuum» pulsatorio descubrirá que la organización y la forma están relacionadas, a medida que se mueva del control social al personal y al control de los reflejos.

LA IMAGEN SOMÁTICA

Una imagen somática es una forma anatómica o conductual. Los músculos esqueléticos son los responsables de la postura, de papeles sociales aprendidos y de gestos instintivos. Crean un referente de sensaciones que dan una imagen corporal, una imagen somática externa. El proceso de motilidad visceral, por otra parte, da origen a sensaciones que establecen una imagen somática interna.

Toda imagen somática tiene los dos aspectos: el interno y el externo. Hay una parte de nosotros que se enfrenta exteriormente hacia el mundo y otra que es reconocible sólo desde el interior. Por ejemplo, los gestos de ira –un puño cerrado, voces altas–, son imágenes externas que indican lucha o escape. Internamente, la adrenalina aumenta y la presión sanguínea sube. Las formas sexuales de macho y hembra son imágenes somáticas con distintas manifestaciones externas e internas. Exteriormente, la organización del gesto postural, músculos y expresiones, produce imágenes que los demás comprenden y a las que responden. La imagen somática de otro muestra sus intenciones así como su estado interno.

Internamente nos comunicamos a través de imágenes. Existen ciertas pautas bioquímicas reconocibles, tales como las configuraciones hormonales de excitación sexual, ira o miedo, que informan al cerebro y al resto del organismo sobre la necesidad de una organización adecuada. Una descarga de adrenalina cambia la química interna y la geometría molecular de la situación de reposo a la de una ligera excitación.

Las imágenes internas y externas se comunican entre sí, aunque las separemos, a menudo, por medio de la negación o el conflicto. Por ejemplo, el interior puede ser temeroso y aún así, el exterior mostrarse en calma y reservado. Nuestro corazón puede latir muy rápido y sin embargo nuestro rostro permanece calmado. El mensaje interno de «estáte quieto», o «prepárate para huir» conlleva una expresión externa de contención.

Así pues, una imagen somática contiene sensaciones orgánicas internas y configuraciones emocionales, así como gestos corporales y pautas de acción. Una imagen somática no sólo muestra al mundo quiénes somos, también nos lo dice a nosotros.

Ejercicio de autorreflexión

Imagen somática visible

1. ¿Cuál es mi imagen somática visible y persistente?: ¿seguro de mí mismo, reservado, relajado, lejano, arrogante, sumiso?
2. ¿Qué hago muscularmente para producir esta postura somática?
3. ¿Cómo puedo hacerla más o menos intensa?
4. ¿Qué ocurre cuando desestructuro mi postura somática habitual?

PRESIÓN

Aumento y disminución

PRESIÓN

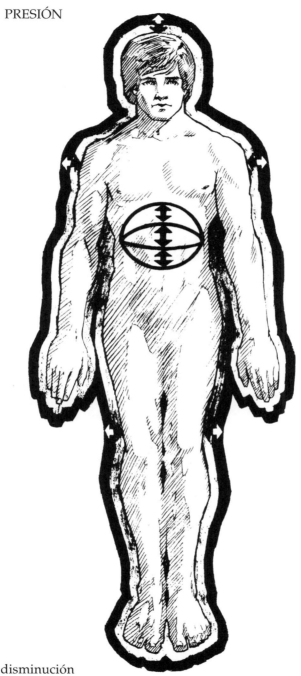

Aumento y disminución

5. ¿Cómo me uso para formar una imagen somática diferente o bien regreso a la anterior?

Ejercicio de autorreflexión
Imagen somática interna

1. ¿Qué imagen somática consistente reconozco desde el interior?: ¿agitado, quieto, inflexible, impetuoso, expuesto, débil, fuerte?
2. ¿Qué hago para construir esta imagen de sensación somática?
3. ¿Cómo puedo hacerla más o menos intensa?
4. ¿Qué ocurre en la pausa cuando inhibo mi forma interna somática habitual?
5. ¿Cómo regreso a mi imagen somática interna habitual o bien me uso para formar una nueva?

DESARROLLO DE UNA VIDA INTERIOR

La mayoría de nosotros no somos conscientes de la experiencia interior, ni creemos que el «reino de los cielos» esté dentro de nosotros. Vivimos nuestra existencia a través de imágenes públicas y acciones externas. Nos identificamos con la actuación social, no con la verdad interior. La existencia moderna e industrial anima al desarrollo de lo exterior. Formar una vida interna supone una especie de lujo para mucha gente. Mientras que la capacidad para funcionar externamente realiza la autoestima, la identidad propia y la seguridad, la necesidad de un espacio interior bien desarrollado no está reconocida en la misma

medida. Sin embargo, para resolver los problemas de la vida diaria es necesario crear y defender un espacio privado.

Los Cinco Pasos crean una vida interior. En el Paso Tres, cuando descomponemos la forma creamos una pausa, un respiro, una unión sináptica que espera a que los impulsos se construyan. Cuando lo hacen, estamos en el Paso Cuatro, el proceso primario. El descenso desde el córtex trae consigo las emociones del mesencéfalo o los procesos básicos del tallo cerebral. En esta pausa dominan los sentimientos y la sensación interna, los dibujos y símbolos disminuyen y las imágenes internas vienen juntas como pautas de acción motriz. Este hiato organiza respuestas inéditas a distintas situaciones.

Aprendemos a través de la acción directa –haciendo algo–, y la mente autorreflexiva percibe lo hecho y lo practica una y otra vez. O bien, presentamos una imagen de una forma de comportamiento ya completada al centro de reflexión interna. Todo el sistema muscular imita a la imagen, organizando entonces un comportamiento que practicamos. Replanteamos un problema, reorganizamos lo que vamos a hacer con él o encontramos una vía para reorganizarnos nosotros mismos. La cuestión importante es cómo creamos un espacio y esperamos la organización de una respuesta. Tal respuesta resulta ser quienes somos nosotros. Podemos construir un interior, un adentro, una forma corporal no dada al nacer. A esta dimensión interior se refieren algunos movimientos espirituales cuando hablan de crear un alma o encontrar un yo espiritual. Cuando hay un momento en nuestro espacio interior en que existe polarización y conflicto, podemos crear una nueva organización, una que no ha existido antes.

Ejercicio de autorreflexión
Creando un espacio interno

1. ¿Cómo creo un espacio interno? ¿Paro la acción externa, me hablo a mí mismo, silencio mis sensaciones habituales?
2. ¿Cómo hago esto muscularmente?
3. ¿Cómo lo intensifico o lo reduzco?
4. ¿Cómo hago una pausa, espero, permito que algo se cree?
5. ¿Regreso a mi actividad habitual o intento crear una nueva forma de lo que he aprendido?

LA CONSTANTE PROFUNDIDAD-SUPERFICIE

El ejercicio del CÓMO conecta el interior con el exterior y explora los distintos niveles y capas existenciales. Con frecuencia el pensamiento y el sentimiento parecen no tener relación. Hacemos cosas y sin embargo, no sabemos porqué las hacemos. Lo que hacemos parece desconectado de las sensaciones corporales internas, las imágenes o la autopercepción.

El proceso somático es una constante de imágenes que va desde las configuraciones moleculares y las formaciones hormonales y neurales hasta los gestos musculares que a su vez se vuelven actos sociales. Este proceso de niveles múltiples se mueve de dentro hacia afuera o desde nuestra superficie hasta la profundidad del ser. Hay un proceso constante de conexión desde el nivel bioquímico al muscular, desde lo subjetivo a lo concreto. Las imágenes varían entre el cuerpo interior y el exterior, a ritmo lento o rápido, las arquetípicas y las personales, las dadas por la naturaleza, las socialmente aprendidas y finalmente, las que nosotros seleccionamos. Con frecuencia separamos la mente del cuerpo en vez de aceptar esta constante del proceso vital, los muchos niveles de existencia.

El proceso de los Cinco Pasos empieza en lo externo, en la superficie exterior de localización, diferenciación y control; allí donde rigen lo social y lo racional. Desciende entonces a las capas medias u órganos y músculos donde dominan la autogestión y la volición y, finalmente, a las misteriosas profundidades que nos indica el Paso Cuatro, donde gobierna Dios. En este lugar hay una mezcla de globalidad, imprevisibilidad y espontaneidad así como orden y forma. Desde esta capa interna regresamos a la superficie.

Ejercicio de autorreflexión
La constante profundidad-superficie

1. ¿A qué nivel entro en el proceso continuo? ¿Roles externos o imágenes internas?
2. ¿Cómo creo o mantengo esta imagen interna o externa?
3. ¿Cómo aumento o disminuyo esta organización, desestructuro mi punto de partida y experimento sus aspectos más profundos?
4. En la pausa, ¿Cómo hablan otros aspectos de mi organización? –sueños, asociaciones, percepción interna, sentimientos–.
5. ¿Cómo uso este aprendizaje? ¿Regreso al mundo de partida inicial o incorporo, con la práctica, más de mi mismo?

DESCENSO Y ASCENSO

Una consecuencia del «continuum» dentro-fuera es la metáfora del descenso y el ascenso, el viaje mitológico al infierno y su regreso. En la vida de los individuos tal sería el movimiento entre desvelo y sueño o yacer y levantarse. Como mis libros anteriores *The Human Ground* y *Your Body Speaks Its Mind** explican, la postura erguida es una resistencia a la fuerza de la gravedad. A pesar de todo, cada postura característica individual también refleja la historia emocional de cómo nos sentimos tratados de niños, con miedo, lástima, alegría, terror etc.

En los Cinco Pasos del ejercicio del CÓMO descendemos y ascendemos; vamos hacia abajo, bajamos nuestro centro de gravedad, descendemos al mundo abdominal-pélvico y procedemos a ascender de nuevo. El Paso Uno comienza con una imagen erguida. El Paso Dos nos revela cómo mantenemos intacta esta imagen. El Paso Tres comienza el descenso al mundo inferior, una liberación de las exigencias de actuación social. Llegamos a un lugar donde la estructura es más líquida. Permitimos a los «géiseres» de emoción y visión interior que se proyecten hacia la luz. El Paso Cuatro implica experiencias simbólicas, psicológicas, emocionales y somáticas. De este modo nuestro ascenso da comienzo, lo inconsciente se hace más consciente y toma forma en el mundo exterior al cual llegamos en el Paso Cinco. Abandonamos la experiencia cerebro-cortical para volver a nuestras raíces en el sistema nervioso autónomo y en el tallo cerebral. Una vez sustentados, regresamos al mundo de lo consciente. Esta ascensión o regreso a la postura erguida es acompañada de nuevas imágenes, recuerdos y sensaciones.

Ejercicio de autorreflexión

Descenso y ascenso

1. ¿Estoy fijado en la parte ascendente o descendente?: ¿reforzado contra el mundo o derrumbándome bajo el?
2. ¿Cómo uso los músculos para crear mi postura? ¿Qué estoy haciendo en realidad para formar esta organización?
3. ¿Cómo puedo hacerlo más y menos? ¿Son las sensaciones de desorganización y descenso, o de más organización y ascenso?
4. En la pausa, ¿cómo experimento el descenso? ¿Cómo vivo con lo que está surgiendo?
5. ¿Cómo uso lo aprendido? ¿Continúo con el ascenso o descenso habitual, o intento formar algo de lo que he aprendido?

Al bajar regresamos a nuestro terreno común, a una estructura universal. El pensamiento es sentimiento, surgen intensas configuraciones tranquilas de energía pura, una inmensidad con sus secretos como nuestro ser más profundo, una honda intuición. El Paso Cuatro es una existencia sin espacio en el mundo pélvico-abdominal opuesto al mundo de actuación del Paso Uno. Es el territorio de lo inédito. Desde aquí parten luces solares, brotes oceánicos y proyecciones de sentimiento para movilizar una visión interna que pueden entonces organizar el cerebro y los músculos.

---

* Center Press, Berkeley, California, 1973 y 1975

LA CIRCULACIÓN DEL ASCENSO Y DESCENSO

Historias y Somagramas

5

Todos nosotros creamos cuentos y mitos para dar sentido individual y colectivo a la existencia. Los cuentos nos ayudan a adaptarnos al misterio de nuestra existencia como cuerpo y a llenar el espacio de lo desconocido interior y exteriormente. Nuestra organización genética ya elabora una historia contándonos cómo se forman los cuerpos. La sociedad nos cuenta cómo comportarnos a través de historias, y éstas, van siendo escritas por cada uno de nosotros a medida que nacemos, crecemos y nos formamos como individuos. Nos contamos historias como una forma de racionalizar o buscar sentido a algún acontecimiento o de proporcionarnos un camino para actuar.

Crear historias es integrar elementos de la experiencia conectándolos con elementos ingeniosos o imaginativos. Un orden, un sentido, un significado, y una continuidad de organización y forma se mantienen por medio de una historia. Tenemos una habilidad innata para crear una realidad interior y exterior mediante sueños, poemas épicos, dramas, novelas, películas, pinturas, danzas o historias personales.

Organizamos historias sobre nuestro pasado, presente y futuro. Estas historias y cuentos constituyen sistemas de creencias que perpetúan una forma corporal y psicológica determinada. Las historias no sólo describen situaciones de la vida real sino que también nos ayudan a ensayar futuras acciones. Nos ponen en condiciones de inhibir o abandonar acciones actuales cuando se vuelven peligrosas. Las historias informan a los músculos para que se preparen a actuar en una dirección determinada. Nos dicen cómo esperar, soñar y reorganizarnos inhibiendo nuestras actuales señales internas, permitiendo que emerja un nuevo drama.

Las historias son organizadoras de acción que ayudan a integrar las experiencias que tenemos y generan una continuidad sobre lo que ha venido ocurriendo, de manera que el organismo puede organizar a partir de ellas una forma adecuada para generar contacto, supervivencia y comunidad.

Una historia es una experiencia de respuestas corporales organizadas. Lleva consigo pautas musculares de excesiva o de escasa formación, de excesiva o escasa excitación. Los avatares de la vida organizan un torrente de sensaciones y acciones; en primer lugar en el lenguaje de los elementos bioquímicos, luego en el lenguaje de las emociones, después en el de la estructura de carácter propia del desarrollo infantil y finalmente en una historia personal. Todos estos acontecimientos son el mismo suceso que ocurre en varios niveles. Toda historia lleva consigo un mensaje externo («soy un mártir,» «domino a los demás,» «soy desgraciado») que refleja un diálogo interior de imágenes, palabras, símbolos y sensaciones que surgen de la historia internalizada previamente. La memoria incluye estas pautas musculares y excitatorias que son como la historia actualizada en el presente. Pueden estar coordinadas o descoordinadas. Para desorganizar la memoria de una historia determinada deben desmontarse separadamente la pauta muscular y excitatoria así como las asociaciones emocionales.

Si nuestra historia tiene un sentido básico, podemos preguntarnos: ¿cómo la formamos?, ¿cómo nos forma a través de su propio mecanismo de realimentación?, ¿cómo podemos inhibir la historia que nos contamos siempre y permitir que emerja una nueva?, ¿cómo organiza nuestra historia orden y significado en nuestras vidas? Nuestra historia puede encontrarse en sueños, imágenes, pensamientos, fantasías y también en acciones. Al final de la vida somos la historia que hemos hecho carne. Formamos una vida incluso si recortamos muchas oportunidades. Hemos formado vínculos de cercanía o de distancia con los demás, hemos satisfecho o no nuestros deseos, hemos llegado a ser héroes o payasos, triunfadores o derrotados.

NARRACIÓN DE LA HISTORIA

El diálogo interno forma nuestra imagen corporal. Esta imagen proviene de las sensaciones celulares, también de los huesos, los músculos y los órganos. De la misma manera que una pantalla de radar da la imagen de un objeto en movimiento, la organización interna forma una imagen o historia. Organizamos el espacio interno y externo según nuestras relaciones emocionales con los demás y con nosotros mismos. Conocemos nuestra medida y sabemos si debemos acercarnos o alejarnos de los demás. Los padres excesivamente indulgentes nos hacen sentirnos más de lo que somos, mientras que los intolerantes nos hacen nuestro espacio vital más pequeño. Los padres irritables y agresivos nos hacen dar marcha atrás o por el contrario explotar para ensanchar nuestro espacio vital. Cuando somos humillados nos protegemos volviéndonos pequeños y compactos. La imagen corporal es experiencia emocional concretizada en nuestra forma interior y en el espacio que ocupamos externamente.

Hablamos con nosotros mismos, llevando a cabo una conversación con imágenes de nuestras sensaciones, nuestros sentimientos y palabras. Comparamos, medimos, colocamos, juzgamos y racionalizamos. Sabiéndolo o no, nos contamos una historia, una historia que conecta con los sentimientos y con nuestra lucha para formarnos a nosotros mismos.

Al principio, la historia nos es dada. «Eres incapaz, indigno, tonto, no mereces amor». Estos mensajes se originan en el fondo de la conciencia. No importa que sea alguien ajeno a nosotros quien diga: «Eres un niño malo», si nosotros acabamos diciéndonoslo y perpetuándolo como imagen corporal.

Usando los Cinco Pasos se puede descubrir la organización interna de nuestra historia. El Primer Paso tiene que ver con la naturaleza de la historia y cómo se cuenta. La forma de contar la propia historia, a uno mismo y a los demás, lleva consigo una imagen. Alguien se dice: «¡qué infancia tan terrible tuve!» y se hunde en la derrota o se rebela hasta la rigidez. La meta es sentir la propia organización interna, los pasos de cómo uno se usa a sí mismo y cómo esta organización da salida al significado, a las asociaciones, a los recuerdos, a las emociones y a las acciones.

Cuando se aborda el ejercicio del CÓMO se rememora una organización pasada. Este recuerdo permite la desorganización y la reorganización. «Sé duro, sé orgulloso, no llores». La historia que uno se cuenta llega más al fondo a medida que se aprende cómo la experiencia previa se organiza en la estructura actual. Es una manera poderosa de comunicarse, de compartir, de integrar conocimiento y experiencia así como un medio de crear realidad personal.

> LOS CINCO PASOS ORGANIZAN
> EL CONTACTO Y LA SEPARACIÓN
> EL DAR Y RECIBIR
> EL AMOR Y LA DISTANCIA,
> Y LE AYUDAN A CONSTRUIR
> SU VIDA.

CASOS DE ESTUDIO

En estos casos dos clientes describen su historia con sus propias palabras y cómo ésta les proporciona una imagen con la que se enfrentan al mundo; cómo al sentirse insatisfechos con ella empiezan a crear una nueva al usarse a sí mismos de forma diferente. Recurren a los Cinco Pasos para formar una nueva respuesta, en lugar de volver a sus respuestas habituales.

JIM: EL «ACTIVO»

»Soy activo. He descubierto que tengo una exigencia impuesta por mí mismo para actuar ante los otros, es decir, para responder a las expectativas de los demás ignorando mis propias necesidades. Esto incluye tener siempre la respuesta correcta a cualquier pregunta que me hagan, una actitud aprendida que ha estado conmigo desde que tengo memoria. Este modo de usarme me ha desconectado de mis sentimientos y de mi cuerpo.

»Creé una imagen corporal –siempre estirado, el vientre hacia dentro, cortés– y esta forma corporal de «persona dispuesta» se incorporó a mi vida. Siempre creí que estaba haciendo las cosas para los demás sin experimentar el reconocimiento que esperaba y sintiéndome por ello obligado a redoblar el esfuerzo.

»La percepción de este proceso fue primero evidente para mí a través de un sueño. En este sueño rechacé mi forma corporal rígida y empecé a caminar desde las caderas, en lugar de hacerlo desde los hombros, de una manera «masculina y potente». Incluso en el sueño pude notar la diferencia de mis músculos y del esqueleto. Luego empecé a aplicar la metodología del CÓMO. Al preguntarme cómo llevaba a cabo esta nueva forma de caminar aprendí a identificar el proceso por el cual ponía el cuerpo rígido y erguido con el consiguiente comportamiento rígido.

»Primero identifiqué el tipo de sensación que me producía la imagen corporal rígida y erguida (paso uno). Manteniendo esta imagen sentí la rigidez con que me

JIM

El activo

mantenía o cómo caminaba tenso o me daba cuenta que tenía el cuello rígido. En segundo lugar, aprendí poco a poco cómo hacía esto conmigo. En respuesta a una pregunta o una petición de hacer algo me prepararía de forma inmediata para no fracasar poniendo la columna rígida, comprimiendo las nalgas y los genitales, sacando pecho, subiéndolo y alejándolo del vientre, haciendo la respiración más débil y apretando el diafragma (paso dos). En tercer lugar usé el «ejercicio del acordeón» de dos maneras básicas para aprender a deshacer lo hecho (paso tres). Una de ellas fue inspirar profundamente y estirar los músculos del diafragma intencionadamente –haciéndolo con la intensidad con que sólo puede hacerlo una «persona activa»– y luego, soltando la respiración en cuatro distintas expiraciones, al mismo tiempo que relajaba los músculos del diafragma en cuatro pasos. De este modo, aprendí, pasado un tiempo, a experimentar lo que se siente cuando no hay rigidez en el diafragma y también con el tiempo pude producir una postura erguida cómoda, y no rígida, a voluntad, cuando reconocí que había estado estirado.

»Otro ejercicio de «acordeón» que usé cuando quería desinflar mi figura heroica y compulsiva, fue llenar los pulmones, alzar los hombros hacia los oídos, mantener esta posición brevemente y luego lentamente expirar y dejar los hombros hacia abajo al mismo tiempo sintiéndome todo el recorrido hasta la pelvis. El efecto era, de nuevo, el deshacer la forma rígida y estirada y permitirme encontrar una forma más viva.

»Estas dos intervenciones han reformado o reorganizado mi cuerpo y me han indicado cómo usarlo (paso cuatro). Esto ocurría al reorganizar la rigidez, interviniendo en ella y aprendiendo a identificar la calidad de la sensación de flexibilidad en mí, de manera que aprendí poco a poco a producirla.

»El paso final para mí es la aparición de una nueva forma (paso cinco). En mi caso, los hombros y el pecho se han suavizado visiblemente, la espalda está menos rígida y el vientre más lleno. Con esta nueva forma llega una nueva historia para mi. Ya no me veo obligado a ser «activo». Me permito ser reflexivo escribir, no ponerme rígido si no puedo hacer algo o si mi viejo modelo se reafirma repentinamente. Estoy aprendiendo a crear una nueva forma para mí, a estructurar mi vida de manera diferente.

SARAH: SOBRE-EXTENSIÓN

»Como operadora de ordenadores, experimento con frecuencia mi proceso trabajando ante una máquina y obtengo un sentido más profundo de cómo estoy organizada al recibir y extenderme.

Durante los últimos años he trabajado en una oficina manejando datos y procesando textos. Producir un trabajo de calidad requiere que desarrolle ciertas habilidades técnicas. En el proceso de encaminarme hacia esas destrezas, la manera de sentarme frente al ordenador es una importante referencia sobre cómo me estoy usando (Paso Uno). A menudo mi postura parece forzada y cargada hacia adelante. Cuando me paro y me pregunto cómo lo estoy haciendo puedo sentir cómo presiono el vientre y elevo los hombros, rodeando el pecho sobre el vientre como intentando crear fuerza. Me digo que tengo que ir despacio y hundirme de nuevo en la silla para relajarme. Después de un rato, cuando me

SARAH

Sobre-extensión

dispongo para teclear de nuevo, invento un juego: ¿Hasta qué punto puedo estar relajada y seguir manejando el teclado? Suelto las piernas y me siento pesada sobre la silla. Siento la gravedad a medida que las piernas y brazos se extienden para teclear (Paso Dos). Siento la respiración suave en el vientre. Ahora, ¿cómo moverme y crear la presión suficiente para poner las teclas en movimiento? Siento la analogía con el mundo social - tienen que formarse algunos límites para permitir que el movimiento comience, el contacto implica presión; la interacción significa movimiento. A medida que trabajo, el diálogo empieza a fluir. ¿Cómo me estoy moviendo? ¡De manera tensa! ¿Cuál es mi relación hacia eso? Insatisfecha. ¿Cómo lo termino? (Paso Tres). Paro, suelto, hago una pausa; luego veo hasta donde puedo moverme practicando la nueva forma, tenso menos. Una y otra vez, siento la habitual pauta de tensión empezando a formarse y subir por el torso. Me detengo y bajo la tensión. (Paso Dos contra Paso Tres). Ahora me doy cuenta, que tan pronto como alzo los brazos antes de teclear una frase, he puesto el vientre firme y el cuello, hombros y brazos rígidos. Lo intento de nuevo, sigo respirando. Esta vez siento el brazo más pesado cuando los dedos tocan las teclas. Pero cuando empiezo a teclear más rápido noto que la caja torácica se está tensando y lo mismo ocurre con el brazo. ¿Cómo relajar los brazos en lugar de tensarlos? El movimiento que tienen es básicamente extenderse alejándose del torso cuando empiezo a teclear y luego tensarse a medida que voy más rápido. Al experimentar lo que he aprendido extiendo los brazos completamente pero mantengo los codos hacia afuera de

manera que crean presión sobre el teclado. No me reintegro a mí misma sino que permanezco semi-extendida y bloqueada en una posición tensa.

Durante los días siguientes, sentí esta misma pauta de movimiento en otras actividades (Paso Cinco). También me di cuenta que esta pauta tiene una historia que me relaciona con el pasado. Con mi novio, noté una extensión hacia adelante de la cabeza y el cuello. Después de eso, me di cuenta que yo nunca relajaba el cuello. Igual me ocurría con mis compañeros. Averigüé que una vez que exteriorizaba mi entusiasmo y mis respuestas hacia ellos, tenía que hacer pausas para respirar hondo o dejar de mantener el torso tan firme. Tenía dificultad para mantenerme en contacto conmigo durante una interacción. Después de tres experiencias, noté cómo el hecho de estar semi extendida estrechaba mis límites y creaba una sensación de agarrotamiento. Reconozco esto como una constante en mi vida - buscando contacto y fracasando. Esta es mi historia.»

Como muestran estos dos casos, para que una persona trabaje consigo y con su historia, debe empezar por el Paso Uno, por la imagen que tiene de sí misma, la situación en la que está y la historia que cuentan ella y los demás. A medida que trabaja hacia el Paso Cinco, entiende la estructura de su historia y la desorganiza. Con el Paso Cinco llega la posibilidad de crear una nueva historia.

SOMAGRAMAS

Otro modo de conocer el propio proceso es hacer un dibujo, una imagen, un somagrama. Los somagramas son imágenes somático-emocionales que revelan datos de un nivel tanto público como privado. Con esta imagen se puede captar, realista o simbólicamente, las claves de la propia historia. Se proyectan las cualidades de la experiencia interior haciendo visible el estado somático-emocional. A medida que las imágenes se ordenan en el tiempo, resulta más asequible la conciencia del pasado y del presente.

Los somagramas son pues, imágenes que retratan la propia historia. Son manifestaciones proyectivas sobre la naturaleza de la propia organización. Muestran una situación presente, cómo se siente uno por dentro, dónde hay una herida, qué ayuda se necesita y qué se siente de uno mismo. Con una serie de somagramas se puede hacer un mapa del pasado.

Las sensaciones y movimientos de los órganos están organizados en pautas fijas. Las pulsaciones dan continuidad, forma y orden somático. La forma somática es la base de los pensamientos, sentimientos y acción. El cerebro organiza y forma representaciones, símbolos y perfiles para organizar forma y significado. Los somagramas son, por tanto, un lenguaje natural.

Los somagramas proyectan un proceso. Al hacer visualizaciones emocionales, incorporamos y reorganizamos experiencia. Los somagramas estimulan y enseñan otra manera de formar el yo. Nos hacen ver nuestro dolor y nuestros problemas al señalar la manera en que somos vitales y animados, constreñidos y comprimidos, apagados y confusos. Los somagramas revelan áreas de conflicto en la forma actual de una persona:

extralimitado o infralimitado, sobre-excitado o apático.

Para dibujar un somagrama, represéntese tal como se experimenta a sí mismo, no intente una obra de arte. Los somagramas no son idealizaciones ni fantasías ni la imagen del espejo, sino intentos de permitir a su imaginación reflejar la propia organización emocional. Use el ejercicio del CÓMO para trabajar con lo que descubre. ¿Cómo reduzco la extensión del cuello o la cabeza? ¿Cómo continúo siendo «un buen chico», al bloquear el cuello y mantener controlado «el fuego» por dentro? Los somagramas no tienen que ver con la apariencia ante los demás sino con su forma propia de organizarse. Los somagramas son al mismo tiempo un camino por el que nos conocemos a nosotros mismos, un mensaje que enviamos al mundo y un requerimiento que hacemos a los demás sobre cómo recibirnos. Como imagen pictórica, el somagrama capta la organización presente. Como series de imágenes tomadas a lo largo del día o de un período más largo de tiempo, los somagramas pueden captar los temas de toda una vida.

CASOS DE ESTUDIO

Los somagramas siguientes fueron hechos por personas que han sido clientes míos. Cada uno escribe una historia para acompañar su somagrama y usa los Cinco Pasos para trabajar con él, para identificar su pauta de organización y crear las experiencias de desorganización y reorganización.

JOEL

»Tengo algo más de treinta años, no me he casado. Antes de mantener la actual relación, las mujeres con quienes salía me dejaban. Ahora tengo una relación con una mujer que requiere de mí todo el contacto que esté dispuesto a darle. A lo largo de este noviazgo de nueve meses, he tenido un deseo interno de rebelarme contra este tipo de relación monógama. Este deseo es expresado (Somagrama 1) por los trazos oscuros. Internamente siento un fuego, una ferocidad. Las líneas negras oscuras alrededor de los hombros, la garganta y los lados contienen a la fiera. Me envío mensajes del tipo: «compórtate» «sé bueno» «no actues así» «no hagas nada salvaje». Fuí educado en una familia en la que un comportamiento libre era incorrecto en alguien de su posición social.

Mi segundo somagrama (Somagrama 2) muestra una situación en la que una mujer quiere ofrecerme su amistad y aprecia el hecho de que sea afectuoso y solícito pero no muestra un deseo sexual por mí. Aunque esta situación sea normal yo la vivo como un rechazo, una herida más de mi frágil ego. Este somagrama muestra esa pauta arraigada de sentirme violentado. Aún espero obtener algo que no recibí en mis primeros años. De adolescente, imaginé a todos los de mi edad demostrando su virilidad con proezas sexuales mientras yo no tenía ninguna que contar. Era un observador marginal, grabando sobre mí una imagen de inferioridad sexual. En la actualidad, mantengo este sentimiento pero con una declaración interior de ira hacia la mujer. No te necesito, no me importa si me crees una buena persona, yo no soy

TRES NIVELES

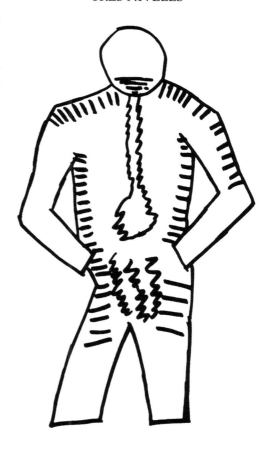

No deberás...
Lleva una vida intachable.
Sé como papá, no mires a otras mujeres.
Recuérdalo.

Déjame libre.
Quiero ser como los demás,
divertirme, vivir, estar alegre.

Me liberaré,
No seré atrapado
por una mujer.

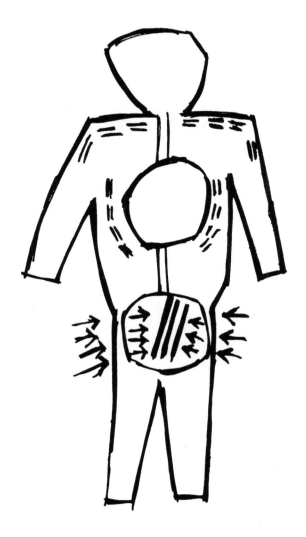

Agradable, cálido,
de buen corazón,
una buena persona.

Virus y bacterias emocionales.

Pautas de insulto profundamente arraigadas,
desacreditado e invalidado.

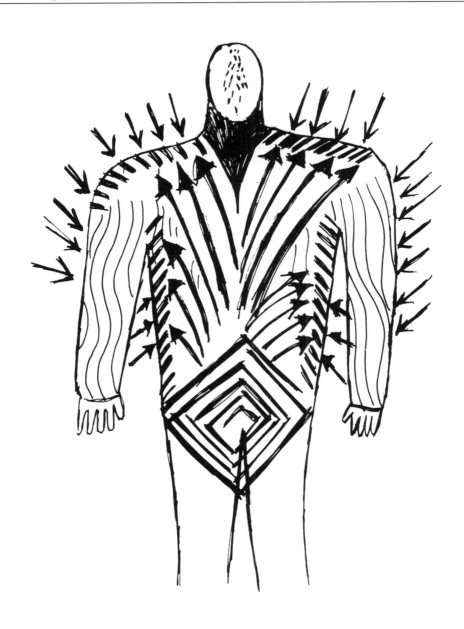

Impulsos salvajes
Límites de integridad.

un animal salvaje esperando a salir de la jaula.

Dibujé un tercer somagrama durante un reciente seminario al notar fuertes impulsos en el torso que parecían querer alcanzar la superficie de la piel e incluso ir más allá (las flechas negras interiores). A veces esos impulsos parecían irresistibles. Como respuesta me bloqueé y me endurecí. Esas son las líneas negras del cuello, la garganta y los lados. Tales líneas mantienen los límites que hacen tolerable mi ferocidad interna, al tiempo que evitan la invasión de fuerzas externas que reduzcan mi integridad.

Mi relación actual manifiesta estos conflictos. A veces nuestro contacto es afectuoso e íntimo. Puedo mantener esa afectividad durante períodos no superiores a veinticuatro horas. Luego tengo una fuerte sensación de estar siendo invadido. Llego a temer un compromiso serio con ella. Me contraigo y me retiro por completo. Vuelvo a recluirme en mi casa para restablecer el equilibrio. Allí empiezo a decirme «no debes huir», «debes ser capaz de mantener el contacto», «¿qué es lo que me pasa?» Esto es autoderrotarme, ya que cuanto más me esfuerzo en mantener este contacto porque «se supone que debo», mayor es la repulsión que siento. Estoy atrapado en una situación permanente, sin permitir que una mujer se acerque demasiado. Esto lo muestran las líneas que encierran mi pelvis. La afirmación de esta zona es, «permaneceré así», «no vas a entrar en mí ni desde fuera ni con la radiación interna de mi pecho». Me siento como un borrico obstinado en no ceder; pero a esto le sigue una confusión inconsciente de no saber cómo transigir.

JOEL

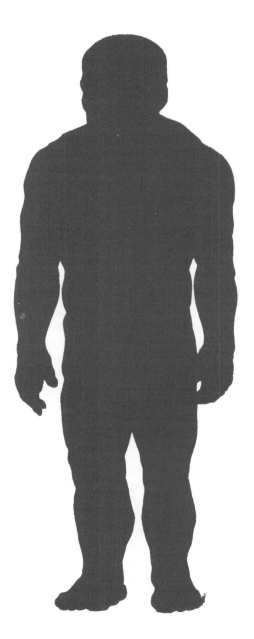

Cuando fui capaz de usar el CÓMO para desorganizar la rigidez, sentí un gran placer. Con los Cinco Pasos aprendí concretamente cómo retirarme, no brusca sino gradualmente. Se me brindó otra alternativa diferente al contacto total o la retirada completa. Cuando estoy en una situación que se vuelve incómoda para mí, soy capaz de experimentar un alejamiento y controlar algo mi propio proceso. Me doy cuenta de cómo retiro el contacto visual. Experimento el movimiento del cuello y el giro de la cabeza. Esto reduce la intensidad del contacto. Luego puedo invertir este movimiento, restablecer contacto visual de nuevo y no desviar mis emociones. Puedo elegir el nivel de contacto que soy capaz de mantener y no ser víctima ni de un aislamiento insensible ni de una excitación abrumadora.

Trabajar con mis somagramas y los pasos del CÓMO significa desorganizar las tensiones en la pelvis y el cuello para relajarme así como inhibir la inflamación de la pelvis. A medida que organizo mi fiereza transformándola en comportamiento cariñoso, integro fuerza y ternura y me convierto en un salvaje que se ha civilizado en lugar de un hombre que ha sido domado.»

LOUISE

»Recientemente, me di cuenta que notaba mi espalda como una tabla tiesa y plana con un par de bisagras separando los planos. Dibujé este somagrama y así es como lo interpreto. Diría que mi «historia» es que siento gran necesidad de contacto. Experimento este deseo primeramente en el pecho y en el estómago. La mitad superior está organizada para inhibir mi deseo de alcanzar. La mitad inferior es sólida, de manera que puedo hacer cualquier cosa desde ahí. Mi espalda está preparada para la acción pero no puedo «moverme». Se pone rígida en un doloroso «yo quiero», queriendo llegar, al tiempo que tiro hacia atrás. Pienso que uso los hombros incorrectamente, me extiendo como una autómata, con una orden de lo que tengo que hacer en lugar de actuar directamente desde el corazón. La forma de usarme es tensa e incompleta. Cuando estaba con mi novio me relajaba profundamente y estas pautas de dolor se iban. También uso el ejercicio del CÓMO para relajarme, me encorvo desde la parte delantera del pecho, lo intensifico y empiezo a desestructurar «el encorvamiento». Empiezo a experimentar los elementos de desorganización si hago esto lo bastante despacio. Al hacerlo, me suele venir el recuerdo de prepararme para resistir cuando mi madre me atacaba verbalmente. Era una respuesta con dos vertientes –por una parte me tensaba y me distanciaba– pero por otra tendía a luchar y a alejarla internamente, la rechazaba. De alguna manera no la quería junto a mi. No quería ser vulnerable.»

> INCORPORAR LA EXPERIENCIA
> ES SUPERAR
> LA HISTORIA
> SOMÁTICA-EMOCIONAL.

»A medida que practico los Cinco Pasos me doy cuenta que ambos aspectos son parte de mi contención de hombros y pecho. Con este ejercicio empiezo a organizar un espacio o distanciamiento interior de esta incesante disposición física. Empiezo a desengancharme de un pasado

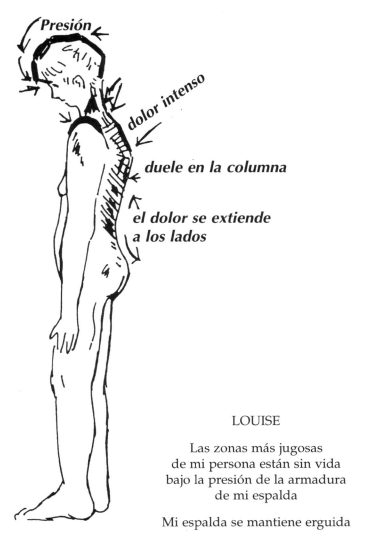

Presión

dolor intenso

duele en la columna

**el dolor se extiende
a los lados**

LOUISE

Las zonas más jugosas
de mi persona están sin vida
bajo la presión de la armadura
de mi espalda

Mi espalda se mantiene erguida

Noto un débil sensación en vértebras, cuello y columna
Los músculos tiran hacia la columna
conteniendo la ira, la confusión, la tristeza,
el dolor, el temor. Temo la alienación
y la soledad de no ser querida.

Necesito soltar mi rabia con los brazos y las piernas
pero ¿que le importa a una niña abandonada
tener una rabieta si nadie le presta atención?

que está en la actualidad conmigo. Organizo tensiones en el cuello, cabeza y hombros para evitar contraerme y derrumbarme. Con el CÓMO empiezo a darme a mí misma más lugar. Empiezo a establecer una relación conmigo y con los demás que distingue la distancia del rechazo e identifica proximidad con madurez.»

BETTY

»En mi familia tenía relaciones ambiguas hacia mi padre y mi madre. Al tratar de acercarme a mi padre, me volvía como mi hermano, un hijo. Quería demostrarle que yo era el mejor hijo que tenía, pero era una chica. Aprendí de mi padre que nunca tendría que depender de un hombre para que me mantuviese. Haría una buena carrera, tendría dinero, me las arreglaría sola. De mi madre aprendí un punto de vista negativo sobre la sexualidad y también cómo usarla para tener poder sobre los hombres. Tengo un cuerpo femenino y sin embargo estoy aterrada de ser mujer. Soy una niña pequeña con relación a mi padre (Somagrama 5). Mis manos están extendidas para recibir y entregarme, mi cara es alegre y risueña pero me falta la sensación de tener piernas y vientre. En este dibujo tengo unos 6 u 8 años y una fuerte relación con mi padre, «soy especial para papá». «Papá me hace sentirme bien». El siguiente somagrama (somagrama 6), indica la confusión que existe entre ser hija de mi padre y en realidad, intentar ser su hijo. Trabajo en el mundo de los hombres, intentando superarlos para ser el mejor «hijo», mientras que al mismo tiempo participo en la misma lucha que mi padre haciendo mía su venganza por lo que una gran empresa le hizo, que fue llevarle a la bancarrota.»

Niña Con Relación a Mi Padre:
Manos extendidas para recibir y ser recibida
Alegría y expresión juguetona en el rostro
Sin sentido de las piernas
Sin vientre

Papel:
Como niña pequeña que soy para mi padre debo hacerle feliz.
Soy especial para papá, me hace sentirme bien
Edad de seis a ocho años

Brazos elevados, expectantes
Queriendo un abrazo
Queriendo que me tomen
En años posteriores, queriendo aceptación

Piernas inestables, como si estuviese aprendiendo a caminar
Papá, por favor, agárrame si me caigo.

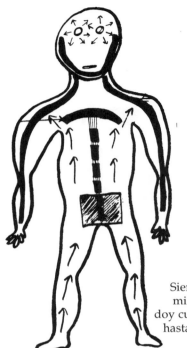

Hija Con Relación a Mi Padre:
Siempre me vi a mí misma como la hija de
mi padre, sin embargo al dibujar esto, me
doy cuenta que soy su hijo, una imagen que viví
hasta el final en mi trabajo dentro del mundo
masculino.
«Papá, déjame demostrarte que soy mejor que mi
hermano, que soy tu mejor hijo.»

llega a convertirse en
Hijo con Relación a Mi Padre
Papel: «Lucharé contra el mundo de los hombre por lo
que le hicieron a mi padre (una absorción empresarial
llevó a mi padre a la bancarrota cuando yo tenía 16 años).
Papel: Mártir, luchadora, la amazona en pie de guerra

Rostro: Helado, asustado, fuera de sí
Mandíbula: protuberante, rígida, de acero apretada
para recibir lo que llegue
Ojos dispuestos contra el mundo

Pecho: Una banda apretada
Hombros: sólidos, rígidos inmovilizados contra el mundo
Brazos: fríos, rígidos, inflexibles, replegados
Piernas: Sin contacto con el suelo, por encima del suelo
dispuestas contra el mundo

Desde los genitales hasta la banda en el pecho hay
inmovilización, estrujamiento, terror petrificado, respiración
cortada desde el vientre

Mujer Con Relación a Mi Padre:
Las sensaciones genitales y la excitación pélvica deben ser acalladas
Cualquier sensación genital trae consigo vergüenza y culpabilidad.
Papel: acéptame como soy por favor
quiéreme por favor.

Los trazos gruesos son zonas de tensión que intentan
contener o mantener bajo control la tristeza en los ojos
y cara; cuando estos trazos empiezan a mitigarse
experimento una gran tristeza.

Internamente, aplaco el anhelo en la parte alta del pecho y
los hombros e interrumpo la respiración.

Tensión/contracción en la parte alta de los
hombros, que derivan hasta el cuello y mandíbula, como si me tentase para guardarme
de consolar a mi padre o queriendo que él
me consuele a mí.

Sentimiento de compasión en los brazos cortado en las manos, el final frenando para
alcanzar

Flujo de energía cortado en las piernas,
dispuestas para volar o
colapsarse o volverse completamente rígidas
para mantener la rabia bajo
control.

Calor/excitación en los genitales
Tengo que seguir respirando para apagar la
excitación y relajar el vientre.

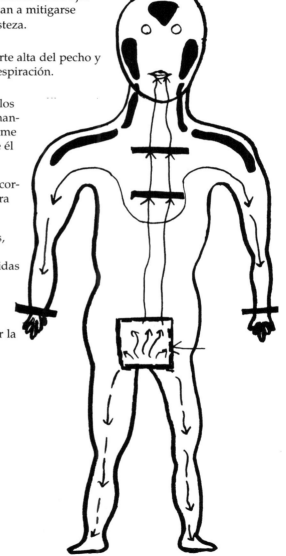

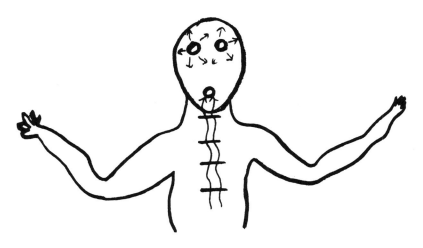

Niña Con Relación a Mi Padre
Miedo, confusión, alarma congelada
en los ojos
Aplacada, ansiedad oprimida
en la garganta
Cuerpo separado por la cintura
Sin identidad sexual, piernas, ni vientre
Brazos congelados
Sumisa, pasiva en la parte inferior del
cuerpo

Papel: «Soy una buena chica.»
¿Qué tengo que hacer para ser buena?
Hacer cosas, limpiar la casa, ayudar a mamá

Boca: anhelo ahogado en boca y garganta
«No llores; mamá se enfada si lloras»

Ojos: colgada a mamá con los ojos
«¿Qué es lo que quieres que haga?»

Manos/brazos: helados, alarma, terror
«Acéptame, por favor, no me hagas daño, por favor»

Vientre: Sin sensación del propio sexo
Mensaje materno: las sensaciones genitales son
malas, tendrán su castigo

Piernas: Listas para huir

Hija con Relación a Mi Madre:
Cara congelada, bandas pétreas a través de la mandíbula.
Miedo en la parte alta del pecho
Los genitales tiran hacia arriba para protegerme
Manos heladas
Negación total del género sexual

Ojos: alarma, miedo, alejamiento
«No me invadas, quiéreme, por favor»

Cabeza: Desmembrada
respiración interrumpida por la opresión
del cuello y garganta

La rabia y el terror están contenidos en el interior,
la rabia está bajo control mediante una
fuerte opresión
Exteriormente, una chica pasiva y obediente pero
la rabia irrumpe bajo cualquier pretexto.

Manos: Separadas de los brazos
«No tiendas la mano»
«Tender la mano es traicionarte a ti misma»

Piernas: Preparadas para volar
Ausencia de sensación

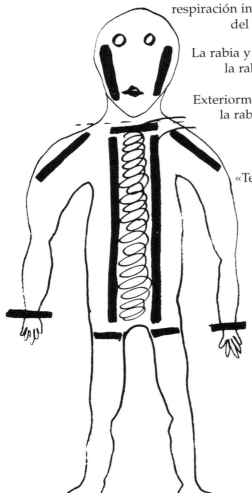

Mujer Con Relación a Mi Madre:
En el presente, esta es una imagen que
busca un cuerpo
La imagen es la de un lobo en mi vientre
que me da una fuerza suavizada y la capacidad
de mantenerme para estar sobre mis dos pies.
El reflejo de ciervo asustado está desorganizado.

Rostro: calor, calidez, compasión
tristeza suave

Manos/brazos: dispuestos
para dar y recibir
extenderse y retirarse

Vientre: excitación genital que llena mi cuerpo,
vientre redondo, fuerza en la pulsación,
fuerte pero delicada, sentimientos de
anhelo y deseos de ser abrazada.

Piernas: firmemente en el suelo
Conectadas a la pelvis
Capaz de abrirme al mundo
con una fuerza suave
y al mismo tiempo de retirarme
a mi mundo interior.

»En mi papel como mujer hacia mi padre (Somagrama 7) debo acallar los sentimientos femeninos y la excitación en la pelvis. Las sensaciones genitales me dan vergüenza y me hacen sentir culpable. Busco aceptación, «por favor, queredme».

»Soy una niña para mi madre (Somagrama 8). Mi imagen somática es de temor y confusión con un miedo helado en los ojos. Soy una «buena chica», limpio la casa, soy obediente, ayudo a mamá. Hay un anhelo frenado en la garganta, un corte en la cintura, ausencia de identidad, sin piernas ni vientre, los brazos helados. La parte inferior de mi cuerpo es complaciente y pasiva.

Soy una hija para mi madre (Somagrama 9) pero sin género definido en absoluto. Los viejos mensajes de mi madre en mí son «ser una mujer sensual es ser una prostituta» «una mujer deja que su marido la humille porque tiene que aguantarlo una vez que están casados». Mi cara está helada, tengo la mandíbula como una roca. Mis ojos son fríos y distantes. Hay miedo en la parte alta del pecho. Estoy estirada y fuera de mis genitales para protegerme a mí misma y no ser invadida. Mis manos están heladas, en parte como las manos artríticas de mi madre, en un gesto de no doy, no recibo».

El último dibujo (Somagrama 10) representa a la mujer que quiero ser con relación a mi madre. Esta es mi imagen actual. Estoy intentando encontrar un cuerpo. Quiero incorporar cualidades femeninas a mi cuerpo y a mi vida. La imagen clave es la de un lobo en el vientre, que me da una fuerza suavizada y la capacidad de mantenerme sobre mis propios pies. El reflejo de ciervo asustado que está congelado en la parte alta del cuerpo, como se ve en anteriores somagramas, está desorganizado.

Usar los Cinco Pasos significa darme un par de piernas así como una estructura que me contenga plenamente. Al desorganizar a la niña asustada empiezo a formar un yo adulto.»

LOS SOMAGRAMAS Y LOS CINCO PASOS

Los somagramas ayudan a describir situaciones de la vida poniendo luz en la estructura que genera y perpetúa una historia. Creamos un diálogo interno, construimos escenas y pautas de acción, damos significado y sentido a una historia que es continuada por una sinfonía de forma emocional y corporal.

Los Cinco Pasos permiten la exploración de somagramas para inhibir las acciones presentes y ensayar las futuras. El Paso Uno muestra la imagen de nuestra historia, nuestra forma y situación actuales. El Paso Dos indica cómo se mantienen la forma y los conflictos. El Paso Tres, el acordeón con más y menos forma, proporciona las bases de la desorganización. Con el Paso Cuatro hay incubación y creación. El Paso Cinco aporta una reafirmación de nuestra forma anterior o una nueva forma que practicar.

Los pasos del CÓMO constituyen el recuerdo de una organización pasada y el ensayo de una nueva, así como la forma nueva de organizarnos. Las historias y los somagramas ofrecen los medios mientras que los Cinco Pasos proporcionan el instrumento para formar la experiencia.

Forma:
El pasado en el presente
6

ATAQUES CONTRA LA FORMA

El crecimiento y desarrollo humanos están guiados por una serie de poderosas reglas internas que pueden llegar a distorsionarse debido a la herencia genética o a un entorno familiar negativo. Las experiencias negativas inhiben o interrumpen las funciones orgánicas de bombeo de los fluidos, inflándolas o disminuyéndolas. El crecimiento se hace más difícil, la imagen de uno mismo se deteriora, nos segmentamos. Algunas funciones se vuelven exageradas mientras que otras se atrofian. El estrés proveniente de ataques aceptados a la forma debilita el estado bioexcitatorio y las respuestas inmunológicas. Cuando estos insultos introyectados inhiben el proceso formativo, el resultado es dolor físico, ataques respiratorios, problemas de locomoción, angustia emocional y cognitiva. Si las experiencias negativas ocurren en los primeros años, las capas internas y externas sufren un colapso o se hinchan. Si las experiencias negativas ocurren en años posteriores, se produce rigidez y estancamiento.

Si uno de nuestros padres nos persigue para que hagamos las cosas de una

PRESIONÁNDOSE A SÍ MISMO

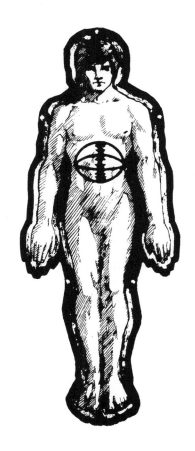

La Creación de Forma

manera determinada, introyectamos esa experiencia y nos convertimos en meros ejecutores. Buscamos el beneplácito y miramos a los demás para que nos orienten. Si uno de nuestros padres nos rechaza, nos creamos una imagen interna de inadecuados. Estas interacciones con el entorno no sólo interfieren con el crecimiento y la forma sino que también deforman la imagen corporal, la autopercepción y la manera de pensar.

El ejercicio del CÓMO aumenta la conciencia de los ataques o insultos aceptados y sus correspondientes patrones musculares y emocionales y restablece la integridad de la función de bombeo y la función de acordeón de los conductos internos. Esta pauta de sensación restaurada da origen a una imagen saludable de nosotros mismos.

APRENDIZAJE DE LA EXCITACIÓN Y EL SHOCK

La excitación sustenta y refleja la forma actual del cuerpo en un «continuum» contráctil: la función de acordeón, de la expansión y la contracción. La excitación es causa y resultado, mensajero y mensaje. Conduce a la excitación general y luego manifiesta esa excitación. El comportamiento es provocado por la emoción y es emoción. Las ondas de excitación generan la conducta y cuando la excitación es intensa y prolongada se produce una nueva: estar enamorado, tener miedo, etc. Una nueva percepción y acción entran en juego y puede tener lugar el aprendizaje.

La excitación es un shock, sea doloroso o placentero. Cuando experimentamos el shock, la atención aumenta. Las respuestas desencadenadas por la memoria y el aprendizaje pasado cambian el ritmo de la pulsación, produciendo atención, excitación acrecentada y emoción libre. Esta emoción imprecisa es traducida entonces por la inteligencia de todo el organismo en una determinada conducta. Es reconocido generalmente que el cerebro transforma la emoción en comportamiento al superar o evocar ciertas conductas pasadas.

Las corrientes cargadas de excitación y las pulsaciones alteradas que resultan del shock pueden ser ocasionales, en cuyo caso el organismo vuelve a su estado habitual. Sin embargo la excitación también puede hacerse permanente, estableciendo una cadena de reacciones que cambian la estructura del cerebro, dan forma a todo el organismo y se encierran en la memoria.

EL SOBRESALTO. FIJACIONES DE LA EXPANSIÓN Y LA CONTRACCIÓN

La vida ofrece estímulo y desafío, también amenazas y peligros. Cuando estamos retados o nos enfrentamos a un peligro permanente, nos enviamos una alarma. La alarma aumenta la excitación disponible, la actividad y la pulsación. El shock emocional, los ruidos fuertes, las sorpresas adversas y el peligro físico producen un reflejo de sobresalto. El sobresalto es una respuesta instantánea que moviliza una serie de reacciones a lo largo de un «continuum»: la tensión de la alerta, la rigidez del miedo, el acecho para golpear, el prepararse para la huida. Para responder, elevamos nuestro centro de gravedad, metemos el abdomen, subimos el pecho, tensamos los músculos de los brazos y el cuello, elevamos los genitales y aumentamos la respiración. Nos preparamos para actuar: apartar, alejar, golpear, correr o ahuyentar al otro. Si el sobresalto se vuelve un shock, el organismo se congela, contiene la respiración, se vuelve rígido. Si continúa y no podemos escapar, nos entregamos, nos retiramos, nos desmoronamos y quedamos desamparados.

El proceso del sobresalto conlleva dos respuestas generales. En la primera, el organismo se estira, se refuerza, se prepara para atacar o para retraerse. Esto implica una mayor organización y exige más forma, más actividad, más contracción muscular. Tal respuesta ahoga el organismo, aumenta la presión y comprime la pauta peristáltica pulsatoria. La segunda respuesta implica disminución de la organización, pérdida de forma, desorganización, abandono y desmoronamiento. Hay disminución de la presión, la pulsación se ralentiza, el tono muscular y orgánico cede. Si el shock es prolongado, la persona pasa por una fase rígida y entra en una pauta de desorganización con sentimientos asociados de desesperación y desamparo.

La respuesta sobresaltada puede llegar a convertirse en un estado permanente, una organización compleja de la que el organismo no puede liberarse por sí solo. Los reflejos de expansión y contracción se sitúan en el centro de esta respuesta del susto. Cuando la pauta recíproca de expansión y contracción no puede ser completada, se origina un estado de falta de organización. El organismo queda

DE DISMINUIR EL YO
A SOBRE-EXTENDERLO

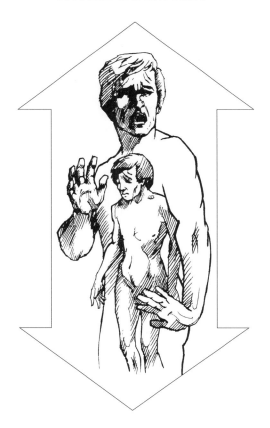

INSULTOS A LA FORMA

La respuesta hiperdefinida

fijado en la acción de reforzar, hinchar, apretar o derrumbarse. Reforzar y apretarse son pautas de hiperdefinición o extralimitación que implican más forma, organización y actividad. Hinchar y derrumbarse son pautas de subdefinición o infralimitación que implican menos forma, organización y actividad. El proceso del sobresalto y la alarma y su continuación en las estructuras hiperdefinidas y subdefinidas constituyen el tema de mi libro *Anatomía Emocional*.[1]

Cuando estas organizaciones se prolongan durante largo tiempo, se establecen patrones fijos y llegan a incorporarse sentimientos y funciones habituales en distintos niveles. Las familias represoras o sobreprotectoras crean niños poco formados en su etapa prepersonal. Otras familias dan excesiva importancia al sexo en sus hijos, exigiendo una identidad sexual antes que el niño esté preparado para ello. Este es un ejemplo de cómo se puede estar formado en exceso, en la etapa prepersonal. Un niño podría estar subformado socialmente - ser tímido, temeroso de los demás, poco educado socialmente. Por el contrario, también puede ser hipersociable, viviendo permanentemente un papel social o intentando perfeccionar el que tiene. Por otra parte, hay quienes están poco formados en el nivel personal, con una huella hereditaria o una condición social tales que no consiguen una postura definida contra estas fuerzas. Otros en cambio, que son super-formados, están tan enamorados de su propia imagen que dejan de considerar a los demás y acaban aislados.

Estas repuestas de hiperdefinición y subdefinición al estímulo del sobresalto son

---

1 Ed. Desclée De Brouwer, Bilbao 1997.

destructivas para la propia identidad bási-ca, las formas innatas y la motilidad. El proceso del CÓMO ofrece un camino para desorganizar y reorganizar las pautas de disfunción. El ejercicio de acordeón resta-blece las pulsaciones básicas de la vida, las pautas fundamentales de ir afuera y vol-ver atrás, así como los flujos y ondas emo-cionales y excitatorios que son el lenguaje básico de la vida en su conjunto.

Alargar, apretar, hinchar y contraer tie-nen una organización y una secuencia de acontecimientos. El Paso Uno comienza con la organización. El Paso Dos implica contracción muscular o alargamiento, lo que hacemos, en realidad, para crear esta forma. El Paso Tres suscita el ejercicio de acordeón. Cuando nos dedicamos al ejer-cicio de acordeón, el alargamiento y la contracción se exageran y se hacen más evidentes. Más tensión provoca un reflejo de paréntesis, –Paso Cuatro–, separándo-nos de la acción presente. Precipitamos toda una serie completa de contracciones organísmicas que reclaman un programa contrario, es decir, un proceso firme y sostenido de estirar después de contraer. Este reflejo de estiramiento, Paso Cinco, nos organiza para volver a entrar al mundo de una manera nueva.

¿Cómo nos sujetamos interiormente? ¿Qué imagen tenemos de ello? ¿Cómo lo iniciamos? ¿Cómo actúa por sí mismo? ¿Cómo podemos inhibirlo? ¿Cómo fomentamos que la inhibición continúe? ¿Cuándo se detiene? ¿Cómo se detiene? ¿Cómo salimos de aquí para organizar un reflejo eficaz? ¿Qué experimentamos cuando organizamos un papel de autoa-firmación social? ¿Qué hacemos en reali-dad? ¿Qué debemos inhibir? ¿Qué aprendemos cuando estamos erguidos moviéndonos hacia los demás?

INSULTOS A LA FORMA

La respuesta subdefinida

Es importante tener una amplia gama de expansión y contracción, ser capaces de decir si o no, de dar o retener, así como de alentar o disuadir las pulsaciones y ser capaces de expresar las corrientes emocionales o de retenerlas. La metodología del CÓMO estimula un mayor rango de expansión y contracción pudiendo así reorganizar de una manera diferente las respuestas negativas automatizadas en el organismo.

LA RESTAURACIÓN DEL PROCESO

El ejercicio del CÓMO es reeducación emocional: la restauración, el estímulo, la articulación y el descubrimiento del proceso de ordenación o formación de una persona. ¿Cómo se habla una persona a sí misma? ¿Cuál es el lenguaje que usa en su diálogo interno? El autodiálogo puede incluir una variedad de aspectos tales como: el lenguaje de las sensaciones, pautas de motilidad propias del organismo vivo, pautas de emoción intensa o disminuida, flujos hormonales, así como las configuraciones emocionales que reconocemos como deseos y pasión. Tales diálogos internos ordenan nuestra existencia. Los Cinco Pasos se centran en percepciones y acciones concretas y plantean ¿cómo está usted cuando siente dolor? ¿cómo se encuentra cuando está enfadado? en lugar de «¿qué es lo que le enfada?» ¿cómo mueve un músculo, cómo experimenta ese movimiento y cómo lo realiza? ¿Cuáles son los pasos que usted insta para reprimir su propio orden natural y sucumbir a las demandas sociales o de otra persona? La manera corporal que usted tiene

de hacer algo es la que revela la naturaleza de su propia organización. La forma en la que mantiene o evita su propio orden se encuentra en la forma en que usted se presiona, se pone blando o rígido, se vuelve hiperactivo o pasivo. El descubrimiento de estas pautas somáticas conduce progresivamente a la libertad personal.

Cuando una persona sigue los Cinco Pasos, hace un descubrimiento interesante. La sustancia viva que nos organiza, a menudo es considerada como invisible e inadvertida aunque de hecho es bien concreta y capaz de experimentarse en las actividades personales de la existencia diaria. Esta energía es la fuerza más omnipresente y penetrante que podemos experimentar en nuestro existir diario y aún así, la más olvidada a pesar de ser fácilmente observable en la organización muscular que acompaña todo pensamiento, acto y sentimiento.

Los Cinco Pasos ayudan a una persona a conocer y crear intimidad con su propio orden o forma. En sesiones de terapia individual puedo preguntar a una persona cómo hace algo y luego esperar a que lo haga física y muscularmente. Quiero que experimente cómo se usa a sí misma; por ejemplo, cómo escucha, cómo establece distancia con los demás o aborda el diálogo consigo misma. Puedo pedirle a una persona que se tumbe y de sacudidas rítmicas sobre un colchón para desarrollar un ritmo dentro de sí misma. Luego, observo cómo mantiene ese ritmo, qué sensaciones le acompañan y de qué manera este ritmo influye en su percepción y acción. Una pregunta que puedo hacer es «¿Cómo puede ser más o menos agresivo?» O ¿cómo crea tensión gradualmente, paso a paso, construye un lenguaje somático-emocional y comprende que es una sinfonía de movimientos, no solamente cogniciones y emociones? En la niñez se nos enseña que los actos tienen consecuencias. Los niños aprenden a pensar antes de actuar y, por eso, fácilmente concluyen que es la mente la que controla el cuerpo. Sin embargo toda actividad es organizada. El descubrimiento de cómo están ordenados los acontecimientos, interna y externamente, establece una verdad personal. Esto es lo más importante. Uno puede darse cuenta que en el fondo de los conflictos y perturbaciones de su comportamiento, lo que subyace es no haber puesto orden en su propia manera de hacer las cosas.

> TENER FORMA
> ES ESTAR VIVO.
> PERO PERMANECER ANCLADO
> A UNA FORMA
> ES QUEDAR ESTANCADO.
> NUESTRO DESTINO ES
> CONTINUAR FORMÁNDONOS.

La terapia del proceso somático no está interesada en ideales ni representaciones. Estamos en una época de fascismo psicológico en que la verdadera individualidad y el orden natural están falseados. Una serie de ideas han llegado a tomar cuerpo: «Deberás mejorar constantemente», «siempre tienes que ser mejor», «deberás ser siempre inteligente». Ninguna religión ha establecido un catálogo de «deberes» tan amplio como el que encontramos en el mundo moderno. No hay muchas oportunidades de descubrir y vivir una vida rítmica, una vida con su propio orden natural. Los Cinco Pasos desprograman estos «deberías» y descubren la fuerza dinámica organiza-

dora que trabaja en una persona para crear su propia forma.

En la esencia del ser humano está la capacidad de interrumpir una forma pretendida de comportamiento distinto. Modelar algo relativo al presente es distinto a quedarse en una rutina o prolongar el pasado. El misterio de cómo es organizada y recreada la forma es el tema del ejercicio del CÓMO.

La terapia del proceso somático establece los principios dinámicos de cómo están organizados, verticalmente y en capas, la excitación y el sentimiento; cómo afecta esta dinámica a la imagen de uno mismo y a la búsqueda de satisfacción; cómo la forma determina la naturaleza de contacto con otras personas y cómo el trabajar con este proceso restaura, afirma y estimula la autoformación. Al trabajar con modelos básicos de autoafirmación o por el contrario de autosujeción, las personas experimentan el fundamento de la vida y crean una referencia por medio de la cual juzgan su existencia y desarrollo.

CASOS DE ESTUDIO

A nivel emocional, el placer y la satisfacción, el dolor y la angustia están relacionados con el uso que hacemos de nosotros mismos. Cuando hay interferencias en el proceso organizador surge el dolor. Cuando empezamos a desorganizar pautas de movimiento y trabajo, amor y diversión, desorganizamos las idealizaciones. A medida que desorganizamos las pautas que inhiben la propia pulsatilidad, nos percatamos de la tensión, la confusión muscular, los dolores y los males que habían sido ignorados previamente. Al comenzar el Paso Cuatro -el regreso a los ritmos pulsatorios básicos- empezamos a relacionar el proceso protoplasmático esencial con los conceptos sociales y personales de actuación y tenemos la posibilidad de organizar un comportamiento que traiga placer y satisfacción.

Los siguientes casos seleccionados de mi consulta privada, describen los problemas y el malestar de ciertos pacientes que intentaron completar los Cinco Pasos.

ANGELA: ESFORZARSE POR EL CONTACTO Y LA APROBACIÓN

Angela es una mujer de treinta años que era culpada de cualquier crisis familiar cuando era niña. Le decían constantemente que fuese más responsable. Su respuesta era aislarse y distanciarse de su familia, mientras que al mismo tiempo sentía necesidad y dependencia. Se ponía rígida ante cualquier exigencia, se hacía fuerte y decía NO. Este mismo reforzamiento la defendía del miedo al derrumbamiento.

La parte superior del cuerpo de Angela es rígida y erguida. Se queja de rigidez en el cuello y la cabeza, sin permitirse relajarse nunca, siempre en guardia. Estar en el mundo implica ansiedad constante. Por una parte busca la aprobación de los demás y por otra es siempre crítica. Su rigidez la hace sentirse pequeña y también fuerte.

Cuando practica los Cinco Pasos, haciendo ejercicios de contracción con los brazos, pecho, cuello, mandíbula y más intensamente con los ojos, reconoce que está constantemente rígida por el miedo, - esperando que la insulten psicológica-

ANGELA

Anatomía Emocional
Hiperdefinida: Rígida y Densa

mente o que abusen emocionalmente de ella. La rigidez le da una apariencia de persona dura, y la aleja de los demás. Este es el Paso Uno, su imagen somática. A medida que exploramos su acción de reforzarse y distender, aprende que su autoprotección y sus contracciones aisladas son automáticas y la hacen sentirse desdichada. Voces ásperas, miradas airadas, falta de respuesta, - todo presagia peligro y la hace tensarse. La postura normal de «necesito conocerte» se traduce por «temo conocerte o tocarte o pedir algo». Cuando afloja, en el Paso Tres, experimenta vulnerabilidad sin represalia. Experimenta una disminución de su dolor físico y su aislamiento emocional. La reorganización le proporciona más sentimiento y autoconocimiento, aunque ambos le dan miedo. A medida que confía en sí misma y acepta su forma infantil, experimenta sensaciones de flexibilidad, expansión, y calma interior. Ondas de excitación se mueven a través de ella. El Paso Cuatro permite al Paso Cinco experimentar con un nuevo comportamiento que reconstruye su autoidentidad. Empieza a reconocerse a sí misma de un modo diferente al de la chica contraída y aislada.

Angela empieza a desorganizar y reorganizar las formas que tiene de hacerse pequeña. Ahora quizás rechace a otra gente sin negar su necesidad de contacto. Aprende de sí misma a dar y recibir y a rendirse a sus sentimientos. Al trabajar con su proceso, conmigo y por su cuenta, cambia su visión del mundo. Visualiza el estar con los demás como un proceso de dar y recibir no de reforzarse y cuestionar. Ahora puede tensarse o relajarse, sentirse necesitada o ser fuerte, rechazar o admitir.

ELLEN: UNA VIDA SIN FORMA

Ellen intenta ser «lo que haga falta». Para ella identidad es afecto. La falta de forma es un ritual. Se ve a sí misma como una persona que evita las exigencias de la sociedad materialista. Siente que los acontecimientos tienen que ocurrir, en lugar de ser manipulados o explotados.

Ellen tiene treinta y cinco años. Es hija de una familia acomodada de clase media y sufre de iras incontrolables dirigidas a su hijo. Su falta de forma tiene como consecuencia una falta de identidad propia. Físicamente es baja y cuadrada. Esperaba ver un cuerpo muscular y fornido pero, en lugar de eso encontré una delicada estructura ósea, músculos flojos y poca propensión a la rápida acción muscular. Es como un flan. Se muestra fría, indefinida y necesita de los demás para definirse, para ponerse limitaciones, para ofrecer resistencia. Durante el desarrollo de nuestro trabajo me reprende por no establecer límites para ella.

No le gustan los conflictos. Es un sentimiento que crea en ella confusión emocional. Explota siempre que su hijo hace una petición o se mantiene firme, algo que ella es incapaz de hacer. Cuando no se sale con la suya, se vuelve violenta o crítica hacia los demás. Quiere que los demás la definan. Tiene sentimientos profundos aunque no reconocidos de querer que la llenen o le den forma.

Ellen no tiene forma, la teme y a pesar de todo, la anhela. Desestructura cualquier construcción de forma con explosividad o buscando enseguida conciliación. Vive en los Pasos Tres y Cuatro. Su excitación global y emociones incontroladas revelan a una mujer a merced de los impulsos, incapaz de inhibirse para poner límites.

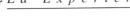

ELLEN

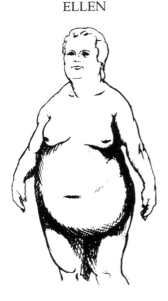

Anatomia Emocional
Subdefinida: Hinchada

Su falta de forma no sustenta la excitación ni le da una sensación de plenitud o satisfacción. Asocia ser requerida con ser usada. Su cuerpo es una secuencia de mareas donde la vida es primitiva y está por diferenciar. No tiene esperanza de mantener una forma que seguramente le proporcionaría autogobierno.

La animo a practicar el ejercicio de acordeón una y otra vez para que adquiera experiencia en usar sus músculos y tenga sensación de forma e independencia. Es importante para ella formar sus propios límites, de manera que pueda dominar los excesos de energía de su yo infantil.

Es mi tarea con Ellen exponer lo que no está formado en ella, usando –Paso Unos y Dos– su capacidad profunda de organización para imponerse límites y poder así contener los acontecimientos de la existencia diaria. Su experiencia en desarrollar pautas rítmicas sostenidas le aporta un sentido de valía propia y posibilidad de autogobierno.

Crear forma no es fácil. Implica compromiso y voluntad de luchar, especialmente cuando alguien ha estado sobreprotegido. La resistencia y los obstáculos dan forma y se aprenden pronto en la vida. Formar lo que está por formar es diferente de formar de nuevo lo que ya se vivió una vez.

LARRY: UNA FALTA DE PODER

Larry se mantiene continuamente ocupado para evitar que se fijen en él. Su especialidad es evitar que le soliciten. Se ve a sí mismo pequeño, insignificante, sin una función de utilidad. Hace lo menos posible. Ni siquiera sueña con formar algo. Larry vive en el Paso Dos - procediendo mecánicamente a lo mínimo que se puede esperar de él. Se usa con cautela, miedo y autodesaprobación.

Larry es una persona densa que ha sido humillada hasta hacerle sentirse pequeño. Es una estructura hiperdefinida, su tórax está colapsado debido a los espasmos musculares en torno a su pecho, cuello y hombros. Larry es reservado y silencioso, la expresión de su rostro es una máscara implacable. Los músculos de su mandíbula y los pómulos son como cintas de acero. Este patrón de compresión constituye su organización básica.

Larry evita el rechazo y busca la aprobación. Cualquier situación en la vida es un rechazo potencial, una oportunidad para sentirse inútil. Emite un ruego constante y silencioso de aprobación. Larry necesita aceptación inmediata. Sin ella, se retira sujetando su pecho. Sujetar es también su organización básica. Hablando con él supe que su miedo provenía de la edad temprana, cuando nada de lo que hacía en casa era correcto o satisfactorio. Se volvió temeroso y tímido y formó una personalidad poco ambiciosa o con un rechazo anticipado a cada esfuerzo.

El ridículo que sufrió Larry es el responsable de las poderosas constricciones musculares de su pecho comprimido. Inhibe su propio entusiasmo y organiza una baja autoestima. Se organiza para ser apenas visible. Para mantener esta postura, necesita contenerse por dentro, para luego expulsar rápidamente cualquier conflicto que pueda surgir. Es descuidado. Sexualmente su pauta es la misma, produciéndole sentimientos de impotencia y minando su masculinidad. Puesto que ve el mundo hostil e inaceptable y a sí mismo como una persona incapaz, estructura las pautas reflejas de

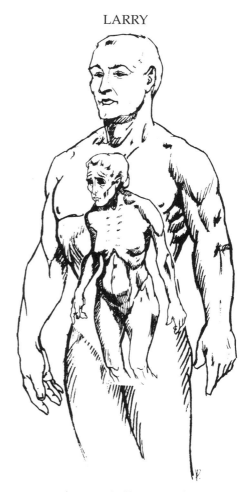

LARRY

Anatomia Emocional
Exterior-Rígido
Interior-Derrumbado

temor e inhibición en una forma permanente. No hay manera de que Larry pueda realizar los pasos de autoformación por sí solo.

Larry sujeta sus impulsos y luego los suelta violentamente en ocasiones precisas. Con el ejercicio de acordeón, Larry aprende a desestructurar sus inhibiciones. El brote de sus impulsos viscerales le ayuda a acrecentar un espacio personal expandiendo su pecho, los órganos internos y el cerebro.

Deshaciendo los Pasos Uno y Dos, la imagen de derrota y la actitud muscular de compresión, Larry es capaz de desestructurar el miedo, incubar entusiasmo y utilizar la excitación resultante para practicar una nueva forma. A través de la expansión, suaviza las inhibiciones de su sistema esquelético y muscular. Le ayudo con ejercicios que le proporcionen un sentido de ritmicidad. Experimenta ondas pulsátiles, desarrolla una dimensión interna, y descubre que la presión del interior se afirma hacia afuera en lugar de contra sí mismo. Los Pasos Tres y Cuatro permiten un aumento del espacio interior y una acción de marea pulsátil. La práctica de los Cinco Pasos le brinda la oportunidad de usarse enérgicamente, manteniendo su espacio y ritmicidad en movimiento. Al disminuir su rigidez, Larry encuentra una serie de pulsaciones internas que intensifican su excitación. Esto le ayuda a desarrollar un nuevo sentido del yo y una mayor conexión con los demás. Su sentido de masculinidad y autoafirmación crecen.

MARY: UNA NIÑA ADULTA

Mary se cree la esposa perfecta. Se muestra sexy, sofisticada, alegre, provocativa y divertida. Sabe cómo atraer la atención de los hombres y hacer que su marido la desee. Para mantener su imagen, hace de su vida una actuación permanente, representando imágenes de lo que ella debería ser en lugar de lo que realmente siente.

Mientras que externamente actúa como Doña Mujer Joven Perfecta, bajo esta máscara es tímida, contenida y llena de insatisfacciones. Mary la diosa sexual, es en realidad una niña, pasiva y desconcertada, representando imágenes sociales de feminidad. Siguiendo el ejemplo de los demás, actúa de acuerdo a los rituales de conducta recomendados.

Su pauta de refrenarse le confiere una apariencia rígida, desafiante, sólida. Su pecho es elevado y prominente, sus brazos se mantienen estirados y elegantes a los lados, su pelvis carece de sentimiento espontáneo, sólo sensaciones decrecidas. Se excita con fantasías intensas y aparentemente interminables. Sus movimientos sexuales son mecánicos y orientados a la actuación. Anhela superar la ansiedad propia de los papeles que representa, pero teme el rechazo de su marido. Se siente defraudada y ofendida. A pesar del uso constante de símbolos sexuales no es una persona ni sexual ni apasionada sino una esclava de imágenes e idealizaciones.

Mary vive en los Pasos Uno y Dos, imagen y actuación. Su excitación es un circuito cerrado entre la fantasía y la actuación sexual. Puesto que no existen ondas de excitación que generen sentimiento, no tiene forma emocional interna y sufre experimentando sentimientos de incapacidad. Evita los sentimientos negativos protegiéndose con rigidez muscular y más actuación social.

Trabajar con Mary implica utilizar la metodología del CÓMO en una serie de campos de su vida. ¿Cómo se hace niña contrayendo la pelvis? ¿Cómo se hace mayor de lo que es subiendo el pecho? ¿Cómo imagina estos roles, los practica de hecho y los desmonta? ¿Cómo conecta con la realidad en su actuación e idealizaciones y luego en su propio proceso interno? ¿Cómo se engrandece viviendo en sus fantasías?

Para que Mary cree una nueva forma, es esencial que termine con su papel. Cuando desorganice su actuación, permitirá que sus propias imágenes emerjan. Podrá crear autoestima eliminando la gran discrepancia entre su vida pública como objeto sexual y su vida privada como niña. A medida que desestructure la elevación de su pecho y la rigidez pélvica descenderá a su verdadero terreno.

Con los Pasos Tres y Cuatro, Mary empieza a inhibir la actriz que hay en ella y a conectar con su vida visceral. Al afirmarse en el Paso Cuatro, sus percepciones interiores están relacionadas con nuevos sentimientos y sensaciones orgánicas. Al estar en contacto con su interior usa los Pasos Dos y Cinco para afirmar su propio modo de ser una mujer.

Anatomía Emocional
Exterior-Densa
Interior-Hinchada

El Viaje Formativo

7

No hay experiencia sin incorporación. No hay incorporación sin experiencia, no hay existencia sin un cuerpo. Porque estoy en mi cuerpo existo.

La anatomía y la conducta humana tienen un orden y una organización. Esto es observable en el mundo embriológico, desde el imperativo general de la replicación genética a los distintos niveles que crean a un humano. Vemos esto en los varios cuerpos que componen una historia personal, formas especializadas evolucionando de la juventud a la vejez. Tal progresión es un viaje marcado por el orden y la organización.

Las configuraciones sociológica y personal siguen un patrón similar de organización. Este patrón es innato, está ahí como una tradición heredada. Lo vivimos de una manera inconsciente como parte del mundo natural y social. Es nuestro destino. Existen pues, un orden y una organización universales de donde puede crearse una vida personal. A esto le llamo el potencial formativo.

Ser congruente con uno mismo significa identificarse con este incesante proceso de potencialidad formativa. Llamamos a esto individuación, autorrealización, desarrollo del potencial humano o ser uno mismo. Si no existe ya un compromiso de proceso personal, se debe confiar en la visión de alguien más para saber quien debería de ser uno mismo y cómo llegar a ello.

> EL VIAJE FORMATIVO
> SIGNIFICA PONERSE
> EN CONTACTO CON UN ORDEN
> MAYOR.

Cada organismo tiene una única forma de organizarse. Una persona se desarrolla a través de un diálogo continuo entre el impulso de la individuación y los requerimientos de la sociedad y la naturaleza. A través de esta interacción se crea una forma, un perfil que refleja la verdad de los niveles prepersonal, personal y postpersonal. Así pues, el objeto de la terapia se convierte en cómo nos formamos, cómo organizamos y desorganizamos nuestra experiencia. Esto es algo distinto del «insight», el proceso de individuación, la excitación aumentada o la integración de experiencias disociadas. La terapia del proceso somático instituye el proceso formativo como punto de partida experimental con el que nos formamos y formamos nuestra propia vida. El

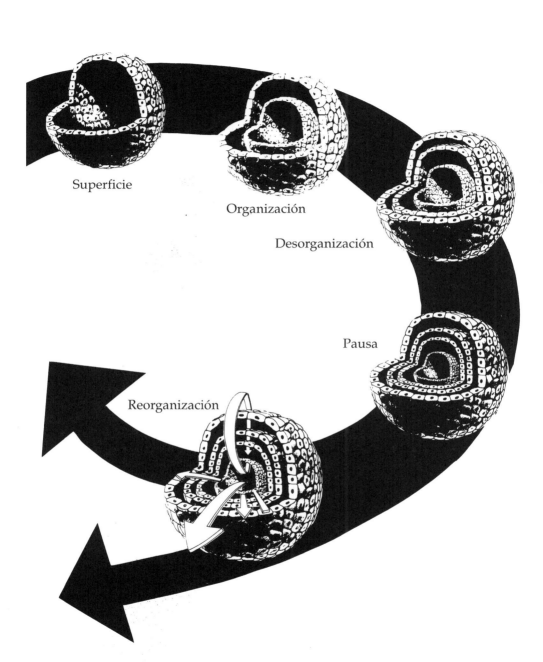

Superficie

Organización

Desorganización

Pausa

Reorganización

viaje tiene un principio y un fin. Es una cadena de acontecimientos vivos organizados de tal manera que forman un «continuum», una vida en curso, una forma viviente. La concretización de cualquiera de estas experiencias a lo largo del «continuum», es el yo somático. Esta somatización es tanto una experiencia universal como personal. Es un cuerpo en camino de llegar a ser otro cuerpo. Generados por este proceso se hallan la excitación, sensaciones de reto personal y el miedo a no poder lograrlo; también emociones de rechazo o afirmación de nuestra vida familiar temprana. Esto es una pauta embriológica, la pauta formativa de orden y organización en funcionamiento.

Pensamos en nosotros mismos como si tuviéramos una sola forma o configuración somática. Pero en realidad, somos una serie de formas, una organización constante de lactante -niño- adolescente - adulto. Esta es la historia del cambio permanente. No somos el mismo yo corporal que hace cinco, diez o veinte años. Sufrimos cuando nos resistimos al proceso de transformación celular y psicológica. La enfermedad viene acompañada por la resistencia o la ignorancia acerca de cómo formar y reformar. Cuando insistimos en ser siempre los mismos, nos deformamos. Cuando promovemos, exageramos y ponderamos nuestras capacidades, nos deformamos. Mucha miseria humana resulta de no formar parte del proceso de eliminar lo caduco o reformar lo existente.

El aspecto más importante del proceso formativo es la capacidad de incorporar la experiencia. Cuando la experiencia se incorpora pasivamente, se forman grandes controles inconscientes. Sólo se desarrolla una forma personal cuando se usa y se asimila la experiencia. A medida que la experiencia se incorpora, se forman distintas capas, creando un espacio interior y exterior que a su vez organiza el espacio psíquico-emocional.

> EL SECRETO DE LA
> TRANSFORMACIÓN ES
> SUPERAR LO VIEJO
> Y CONSTRUIR EL PROPIO CAMINO,
> LA META DE LA MADUREZ.

Un proceso así es asociado a veces con estar sólo y separado de los demás: ¿Pero acaso la individualidad es sólo separación, diferenciación o alejamiento? Aunque nuestra experiencia emocional así lo fuera, veríamos sin embargo que después del proceso, nuestra conducta busca conexión, contacto, comunicación y relación. Nos conocemos a nosotros mismos por los anticipos del deseo que buscan la conexión, el contacto y la forma. Nuestra trayectoria personal en el viaje de la vida, lo sepamos o no, comunica nuestra experiencia vital a la gran multitud que nos rodea. Incorporar nuestra experiencia vivida es participar y contribuir a la lucha de la comunidad universal por conseguir su forma positiva.

Un análisis de nuestro actual desarrollo ambiental revela que todos vivimos en un estado de "adrenalinación". El diálogo entre cerebro y cuerpo es una pauta recíproca y oscilante en la que más vida equivale a más excitación. Generalmente identificamos la conciencia con más sabiduría, conocimientos, etc. Pero podemos

LA TRANSFORMACIÓN COMO UN PROCESO CONTINUO

preguntarnos qué ocurriría al romper esa cadena y desorganizar esa localización de la excitación induciendo un cambio total. Esta es la función de los Cinco Pasos.

> EL PROCESO VA
> DESDE LO QUE HA OCURRIDO,
> A LO QUE ES,
> A LO QUE PUEDE SER,
> HASTA QUE LLEGUE A SER
> LO QUE SERÁ.

Los ejercicios somático-emocionales de este libro demuestran cómo puede alterarse el foco de la excitación. Los Cinco Pasos consiguen ambas cosas, revelar un estado y crearlo. No conducen simplemente a crear más excitación o sentimiento ni a llevar a ninguna parte, sino que interfieren con la organización que se encuentra entre uno y sus mecanismos defensivos más básicos. Simplemente revelan lo que está ahí. Después el reto es, ¿qué hacer con esta información?

El organismo es más plástico de lo que creemos. No es un mecanismo rígido. Puede crearse una nueva organización. La naturaleza ha diseñado un camino para hacer correcciones. Este es el meollo de la biología humana. Y de esto trata también el proceso somático, los Cinco Pasos y la ejercitación somático-emocional. Los Pasos preguntan ¿cómo va usted a usar sus capacidades para organizar o desorganizar una determinada actitud hacia sí mismo o hacia otros? ¿O prefiere perpetuar una actitud pasada? Organizando y desorganizando tiene la posibilidad de crear otro tipo de relación hacia sí mismo o hacia los demás.

Los pasos del proceso formativo son más que una herramienta de autoayuda o una técnica psicosomática para el crecimiento personal. Son una referencia para vivir que restaura un sentido de la verdad organísmica-emocional, de la armonía y de la belleza. Los Cinco Pasos son un medio para incorporar o transformar la experiencia en un diseño vivo que transmite nuestra verdad y estimula nuestra vida celular, así como una intimidad creciente con nuestra forma de vida.

Lo que está formado en nosotros está a menudo en conflicto con lo que está por formar o debe ser reformado. Mantener organizaciones que hemos heredado o creado puede chocar con formas desorganizadas que ya no nos sirven; lo mismo puede decirse de las formas de organización allí donde antes no existió organización alguna.

Construimos un yo organizando acontecimientos a partir de experiencias prepersonales y postpersonales. La naturaleza nos da un cuerpo y tenemos el desafío de vivir con él. Somos iniciados en una forma de sociedad y encargados de vivirla. Pero el yo formado o personal no se nos ha dado, necesita aliento y esfuerzo para formarse.

La intensificación y desintensificación de los Pasos Dos y Tres muestra cómo se organiza un nivel interno personal. El yo en formación puede ser visualizado como un niño que crece. Un niño avanza de un potencial sin forma a un adulto formado. Incorpora sus experiencias dentro de un personal «Yo» y las convierte en su posesión personal. Al organizar un yo, adquiere una identidad, una imagen somática partiendo de un nombre.

Cada uno de nosotros puede encontrar atractivos alguno de los pasos, al mismo tiempo que olvidamos otros. Hay personas que se sienten atraídas por el Paso Dos –acción, organización, estructura, la imagen del héroe, el desafío, el peligro–, todos son símbolos de este estado. Otros se alejan asustados de la acción y la organización porque les atemoriza. Otras personas se identifican con el Paso Tres, y sus símbolos de separar, rasgar, fragmentar, pero el estado de desorganización puede llenar a otros de un miedo y ansiedad que tratan de evitar. Algunos buscan el Paso Cuatro - pasividad, receptividad, fluir, caos; mientras que otros prefieren la formalidad y la estructura. Finalmente están los que son atraídos por el Paso Cinco buscando un mesías, buscando causas para cambiar las cosas, mientras otros las prefieren como están.

Este libro trata de la vida como un proceso formativo. Primero, nos formamos por imperativo de la naturaleza, luego por la sociedad, luego por una lucha personal para formar voluntariamente nuestra experiencia. Las imágenes y ejercicios de autorreflexión a lo largo de este libro así lo representan. Muestran la corriente de la vida, la forma del destino y una manera de trabajar con los Cinco Pasos para comprender cómo funcionamos y creamos orden y forma.

Tenemos un yo que nos es dado y un yo formado y vivido. Intensificamos y desintensificamos nuestras funciones mentales, emocionales y orgánicas. Estamos siempre cotejando nuestras experiencias y organizándolas en una historia continua con elementos instintivos. Hay temas míticos, la vida del universo organísmico, temas sociales, actos que son parte de los deberes sociales o el drama personal del héroe, como transformadores de las diferentes etapas de nuestra vida.

El impulso para crear una forma personal es tan vital como el instinto reproductor. El instinto reproductor es un imperativo para incorporar experiencia genética en formas que se perpetúan. Pero internamente también ambicionamos perpetuar nuestra identidad, individualidad y humanidad.

El proceso formativo es al mismo tiempo algo que se revela progresivamente y algo que se vive volitivamente lo mejor que uno puede. Vivir este proceso, ejercitarlo, formarlo, entregarse, puede ser la culminación de un drama humano y personal. Posiblemente el proceso formativo es entonces asimilado como nuestra vida personal. Los Cinco Pasos son modos de identificar dónde y cómo podemos trabajar con nosotros mismos para cooperar con nuestro proceso natural y nuestra forma en la sociedad. Entonces podremos apreciar lo que significa formar un yo prepersonal, social y personal.

Todos nosotros buscamos conexión con los sentimientos más profundos que dan sentido y valor a la vida. El proceso somático revela lo transcendente: que una existencia celular organiza la anatomía en una verdad emocional y experimentable. Vamos desde la pasión y el deseo a la unión y a la devoción, desde un orden instintivo a un orden social, desde un orden personal a un orden divino. Nosotros, como seres vivos, manifestamos los misterios del ser humano. Generamos experiencias y las organizamos en configuraciones temporales, una geometría que revela lo humano, lo personal y lo universal.

Glosario de Términos

Somático. Del griego *soma*; corporal, físico. Incluye los procesos básicos del organismo que constituyen al cuerpo así como el proceso más amplio creador de todo lo vivo.

Psicología somática. La disciplina que busca entender la vida del cuerpo en contraposición a la que busca sólamente la de la mente. Una psicología enraizada en los procesos biológicos y anatómicos del ser humano. El estudio de la evolución de la forma humana y las experiencias subjetivas que acompañan a estos cambios en la estructura corporal a lo largo de la vida.

Organización somática. Una forma corporal o patrón que el sujeto construye consciente o inconscientemente para enfrentarse a situaciones diversas tanto interna como externamente. Este "tomar forma" hace participar habitualmente al sistema muscular esquelético. Todos nosotros poseemos estas pautas complejas de acción y expresión. Son las pautas corporales que dan origen a las experiencias, pensamientos, sensaciones, imágenes, sentimientos, percepciones, emociones y acciones de la persona. Ejemplos de organizaciones somáticas son: colgarse, agarrar, tirar hacia arriba o hacia afuera, compactarse, inflarse, derrumbarse o reforzarse.

El yo somático. Todas las formas y experiencias corporales, reconocidas o no, constituyen el fundamento físico para el sentido interno de identidad y autorreferencia. Las experiencias corporales son fuente del propio conocimiento; incluyen no sólo los aspectos mentales sino también el conjunto de la estructura física, de la cabeza a los pies.

Psicología formativa. Al aplicar los principios darwinianos sobre la evolución al campo de la Psicología, vemos el desarrollo del ser humano como un proceso de crecimiento biológico, emocional y psicológico. La Psicología formativa trata de las transformaciones de la forma y estados somáticos internos y externos. Heredamos una serie de formas corporales: feto, lactante, niño, adolescente, adulto, adulto maduro, adulto anciano. La Psicología formativa se refiere a estos cambios orgánicos de comportamiento y utiliza los ejercicios somáticos-emocionales para ayudar a formar una vida más personal a partir del cuerpo.

Realidad somática. La verdad emocional interna que emana de nuestro estado biológico, de nuestras experiencias corporales básicas. Una percepción personal de la propia realidad interna o externa puede o no reflejar una conexión o relación con procesos somáticos más profundos. Podría decirse que una persona cuya experiencia esté relativamente desconectada de sus procesos somáticos está "descorporalizada".

Proceso formativo. Es inherente a la vida, la cual construye formas continuamente. Existe una tendencia a tomar forma en todo lo animado. Esta tendencia a la organización de las partes del todo se observa en el conjunto de la Naturaleza, también fuera de lo estrictamente humano. Es un proceso vital básico y el lenguaje primordial de todo lo vivo.

Experiencia somática personal. Es el proceso de hacer personal, integrado y propio, el cuerpo universal, heredado. La constitución de una forma individual. Esta experiencia es interior, individual y distinta tanto de lo innato como de lo socialmente establecido.

El trabajo somático-emocional. El trabajo que practican el autor y sus colaboradores es un enfoque terapéutico y educacional que puede emplear cualquiera ante una situación de su vida, por ejemplo, un pro-

blema emocional, un conflicto interior, un estado física o emocionalmente doloroso. La persona aprenderá a reconocer sus principales formaciones corporales y a comprender cómo éstas son la base de sus experiencias, pensamientos, sentimientos, percepciones, etc. La persona puede aprender cómo influenciar su propia organización somática.

El ejercicio somático emocional. Se trata de un método psicofísico para trabajar con el proceso de contracción y expansión del cuerpo humano, conocido como "pulsación". Los ejercicios consisten en una serie de pasos para ayudar a una persona a restaurar su pulsación básica. Esto se consigue al instruirla al sujeto en el modo de regular volicionalmente sus movimientos de contracción y expansión, lo que le capacita para ser un participante activo de su propio proceso formativo. Los ejercicios le ponen en la situación de experimentar cómo realiza una actividad en particular. Lo cual trae consigo la posibilidad de aprender a usarse de un modo diferente, de poder conocer y cambiar el propio estado.

Apéndice:
Traducciones y Directorio

TRADUCCIONES

- Edición original:
  Embodying Experience. Forming a personal life.
  Center Press, **Berkeley**, 1987.

- Traducción portuguesa:
  Corporificando a Experiencia. Construido una vida pessoal.
  Summus Editorial, **Sao Paulo**, Brasil, 1995.

- Traducción alemana:
  Forme dein selbst
  Kösel-Verlag, **München**, 1995.

- Traducción española:
  La experiencia somática. Desclée De Brouwer, **Bilbao**, 1997.

DIRECTORIO

1. EE.UU.:

Stanley Keleman
Center Press
20045 San Francisco, ST. **Berkeley**, California 9470
Tfno.: (510) 526-8373
Fax: (510) 841-3884

2. BRASIL:

Leila Cohn
Rua Faro, 42
Jardín Botánico. 22461-020 **Rio de Janeiro**

Regina Favre
Aspicuelta, 585. CEP 05433-011 **Sao Paulo**

3. ESPAÑA:

Jaime Guillén de Enríquez
Especialista en Bioenergética y Corenergética.
Guatemala, 5. 28016 **Madrid**
Tfno.: (91) 890 20 38

Antonio Núñez Partido
Especialista en Bioenergética.
Ins. e Interacción y Dinámica Personal.
Hortaleza, 73, 3º Izda. 28004 **Madrid**
Tfno.: (91) 310 32 38

Luis Pelayo
Especialista en Bioenergética.
Plaza Los Arfe, 41. 28027 **Madrid**
Tfno.: (91) 510 29 48

James Feil
Especialista en Bioenergética.
Calvet, 31, 6º, 2º. 08821 **Barcelona**
Tfno.: (93) 201 46 65

Jorge Puig
Especialista en Bioenergética.
Bolonia, 8 entresuelo. 50008 **Zaragoza**
Tfno.: (976) 22 73 95

4. CENTROEUROPA:

Carola Butscheid (*)
Leibwiztrasse, 4. 42697 **Solingen**, Alemania.
Tfno.: (0212) 32 06 84

---

* *Hablan alemán y español. Organiza los talleres Keleman (en inglés) en Centroeuropa (Holanda, Suiza, Alemania) en primavera y verano.*

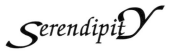